KB240102

이동원 목사 복음서 강해 전집 8

쉽게 풀어 쓴 사도행전 이야기

이동원 목사 복음서 강해 전집 8
쉽게 풀어 쓴 사도행전 이야기

지은이 | 이동원
초판 발행 | 2012. 5. 7
개정판 발행(전집) | 2025. 11. 26
등록번호 | 제1988-000080호
등록된 곳 | 서울특별시 용산구 서빙고로 65길 38
발행처 | 사단법인 두란노서원
영업부 | 2078-3333 FAX | 080-749-3705
출판부 | 2078-3331

책값은 뒤표지에 있습니다.
ISBN 978-89-531-5090-4 04230
SET 978-89-531-5082-9 04230

독자의 의견을 기다립니다.
tpress@duranno.com   www.duranno.com

*이 책은 《하나님 나라 비전 매핑》의 개정판입니다.

두란노서원은 바울 사도가 3차 전도여행 때 에베소에서 성령 받은 제자들을 따로 세워 하나님의 말씀으로 양육하던 장소입니다. 사도행전 19장 8-20절의 정신에 따라 첫째 목회자를 돕는 사역과 평신도를 훈련시키는 사역, 둘째 세계선교(TIM)와 문서선교(단행본·잡지)사역, 셋째 예수문화 및 경배와 찬양 사역, 그리고 가정·상담 사역 등을 감당하고 있습니다. 1980년 12월 22일에 창립된 두란노서원은 주님 오실 때까지 이 사역들을 계속할 것입니다.

이동원 목사 복음서 강해 전집 8

쉽게 풀어 쓴
사도행전 이야기

이동원 지음

두란노

목차

사복음서와 사도행전 강해가 시리즈로 함께 출간되어 기쁩니다. 본래 사복음서 중에 제일 먼저 세상에 나온 것은 마가복음입니다. 마가복음과 누가복음은 예수님의 생애를 비교적 연대기적으로 소개합니다. 마태복음은 예수님의 천국(하나님 나라) 사상을 중심으로 전개됩니다. 그리고 요한복음은 예수님의 영성적 가르침을 주제별로 모아 소개합니다. 그냥 마태, 마가, 누가, 요한식으로 설교하다 보면 많은 중복을 피할 수 없습니다. 그래서 저는 설교할 때 이런 중복을 피하고자 노력했습니다. 그래도 사복음서의 중요한 부분들을 놓치지 않고 설교하고자 했습니다.

오늘 우리 시대는 점점 더 강해 설교를 피해 가는 경향을 보이고 있습니다. 그러면 자연스럽게 제목 설교 중심으로 설교할 수밖에 없습니다. 저는 제목 설교, 특히 주제별 설교도 필요하다고 믿는 사람입니다. 그러나 한 강단에서 오래 설교하려면 제목 설교는 곧 한계에 부딪히게 됩니다. 저도 담임 목회 기간에 종종 제목 설교를 시도했습니다. 그러나 곧 다시 강해 설교로 돌아오곤 했습니다.

이제 사복음서와 사도행전을 한데 묶어 출간하게 됨을 진심으로 감사하게 생각합니다. 사복음서와 사도행전의 유일한 주제인 우리 주님이 높이 드러나기만을 소원합니다. 그분만이 우리 시대와 다가오는 시대의 유일한 소망이심을 믿기 때문입니다.

한국 교회 강단에 복음의 생수가 넘쳤으면 좋겠습니다. 한 분, 예수 그리스도만이 우리의 구주요, 주님이심이 선포되기를 기도합니다. 이 사복음서와 사도행전이 한데 묶여 함께 한 주인이신 예수님을 영화롭게 하기를 바랍니다.

성역 55주년, 나이 80세를 맞이하며 신약을 여는 사복음서와 사도행전을 주께 올립니다. 이 시리즈가 출간되도록 도움을 준 분들에게도 감사를 드립니다.

지구촌 목회리더십센터 섬김이

이동원 목사

하나님 나라는 이미 우리 중에 와 있고 아직도 임하고 있으며 또한 우리가 기다리는 나라이기도 합니다. 예수님의 첫 번째 메시지는 "하나님 나라가 가까이 왔다"(막 1:15)는 선언이었습니다. 예수님은 그 나라의 비전을 다양한 비유로 가르치셨습니다. 부활한 예수님이 승천하시기까지 교훈의 주제가 하나님 나라였습니다.

성령이 임하시면 예수의 제자들은 그 나라의 증인이 되리라고 하셨습니다. 그래서 그의 제자 된 우리 모두는 하나님 나라를 꿈꾸는 비저너리(visionary)가 되었습니다. 우리가 살아가는 하루하루는 그 나라의 지경을 넓혀 가는 일입니다. 이 비전을 처음으로 매핑한 책이 바로 사도행전입니다. 사도행전을 따라가며 물이 바다를 덮는 킹덤 비전의 파노라마를 보고자 합니다.

저는 1990년에 《예루살렘에서 땅끝까지》(나침반)라는 사도행전 강해집을 낸 바 있습니다. 그러나 우리 시대의 새 언어와 새 비전으로 사도행전을 다시 읽게 되었습니다. 특히 셀 교회라는 관점에서 사도행전을 다시 읽으며 새 은혜를 받았습니다. 마가의 다락방에서 시작한 셀 교회는 그 시대 하나님 나라 운동의 핵이었습니다. 초대 교인들은 성전에서뿐 아니라 집에서도 하나님 나라를 강론했습니다. 그리하여 셀 교회는 하나님 나라를 향한 비전 매핑의 거점으로 쓰임받은 것입니다.

저는 사도행전을 다시 강해하며 사도행전의 땅인 이스라엘과 터키, 그리스를 찾았습니다. 열다섯 번 이상 그 땅을 밟으며 그 땅의 내음을 맡아가며 이 책을 발로 썼습니다. 처음 그 땅을 밟은 이래로 그 땅의 신실한 안내자요 친구들을 사귀게 되었습니다. 특히 터키 땅의 아름다운 사람 조용성 선교사님과 윤대우님, 이영희님 등의 이름들을 기억합니다.

열다섯 차례 이상 이스라엘과 터키, 그리스의 성지 순례에 동행자가 되어 준 지구촌 순례자들, 그리고 지구촌 셀 교회의 삼천 목자들, 저는 그들과 함께 이 책을 쓴 것입니다.

정약용이 《목민심서》를 쓰던 심기를 헤아리며 '목양심서'를 써 내려갔습니다. 그리고 약동하는 셀들이 하나님 나라의 비전을 붙잡는 감격을 보게 되었습니다. 이 비전의 한 장을 마무리하며 저는 지구촌 담임 목자의 여행을 마무리했습니다.

그러나 또다시 새 비전으로 이 땅에서 하나님 나라의 지평을 넓혀가야 할 이들, 나의 사랑하는 후임 담임목사님과 지구촌의 모든 목자들에게 그리고 셀 교회 비전을 함께하는 이 땅의 모든 동역자들과 평신도 목자들에게 이 비전의 바통을 인계하며, 이 책을 그들 모두에게 헌정하는 바입니다. 어둡고 암울한 한국 교회의 땅에도 하나님 나라의 새벽은 밝아 오고 있습니다.

그 새벽을 함께 기다리고 기도하는,
하나님 나라 '비전 매퍼'(Vision Mapper)
이동원 목사 드림

"데오빌로여 내가 먼저 쓴 글에는 무릇 예수께서 행하시며 가르치시기를 시작하심부터 그가 택하신 사도들에게 성령으로 명하시고 승천하신 날까지의 일을 기록하였노라 그가 고난 받으신 후에 또한 그들에게 확실한 많은 증거로 친히 살아 계심을 나타내사 사십 일 동안 그들에게 보이시며 하나님 나라의 일을 말씀하시니라 사도와 함께 모이사 그들에게 분부하여 이르시되 예루살렘을 떠나지 말고 내게서 들은바 아버지께서 약속하신 것을 기다리라 요한은 물로 세례[침례]를 베풀었으나 너희는 몇 날이 못 되어 성령으로 세례[침례]를 받으리라 하셨느니라 그들이 모였을 때에 예수께 여쭈어 이르되 주께서 이스라엘 나라를 회복하심이 이때니이까 하니 이르시되 때와 시기는 아버지께서 자기의 권한에 두셨으니 너희가 알 바 아니요 오직 성령이 너희에게 임하시면 너희가 권능을 받고 예루살렘과 온 유대와 사마리아와 땅끝까지 이르러 내 증인이 되리라 하시니라"(행 1:1-8).

1

값진 것일수록
더욱 자랑하라

하나님 나라의 비전은
당신이 있는 그 자리에서 시작된다

비전 매핑이 시작된 곳

예수님을 따르던 처음 제자들은 예수님이 십자가에서 돌아가신 후 깊은 좌절과 절망에 빠졌습니다. 대부분은 자포자기하고 있었고, 어떤 이들은 옛날 직업으로, 아니면 옛 고향으로 돌아갔습니다. 그런데 갑자기 믿기 어려운 소식이 들렸습니다. 예수님이 부활하셨다는 것입니다. 그러자 제자들은 옛 스승이요, 주님이신 예수님께로 다시 몰려왔습니다. 그리고 부활한 예수님은 이 땅에 40일을 머물면서 제자들에게 다시 가르침을 주셨습니다. 그런데 놀랍게도 그분은 하나님 나라의 꿈을 말씀하셨습니다.

"그가 고난 받으신 후에 또한 그들에게 확실한 많은 증거로 친히 살아 계심을 나타내사 사십 일 동안 그들에게 보이시며 하나님 나라의 일을 말씀하시니라"(행 1:3).

예수님이 공생애를 시작하신 이후 갈릴리에서의 첫 번째 설교 주제는 하나님 나라였습니다.

"요한이 잡힌 후 예수께서 갈릴리에 오셔서 하나님의 복음을 전파하여 이르시되 때가 찼고 하나님의 나라가 가까이 왔으니 회개하고 복음을 믿으라 하시더라"(막 1:14-15).

그런데 십자가에서 돌아가신 그분이 부활하여 또다시 하나님 나라의 일을 말씀하고 계시는 것입니다. 예수님은 하나님 나라의 꿈을 포기하지 않으셨습니다. 그 설교를 들으면서 제자들의 꿈도 부활합니다. 제자들이 예수님께 묻습니다.

"그들이 모였을 때에 예수께 여쭈어 이르되 주께서 이스라엘 나라를 회복하심이 이때니이까 하니"(행 1:6).

이 대화가 이루어진 곳은 예루살렘 동쪽에 위치한 감람산입니다 (행 1:12 참조). 예수님은 바로 여기서 세계 복음화의 비전 맵(map)을 보여 주시고, 잠시 후 이 산에서 하늘로 다시 승천하십니다. 지금도 성지의 감람산을 찾으면 예수님의 승천을 기념하는 승천교회가 이 산 위에 자리 잡고 있습니다. 그러므로 이 감람산은 제자들의 꿈이 부활한 비전의 산실이었고, 인류 복음화의 위대한 이정표, 곧 비전 매핑(mapping)이 시작된 곳입니다. 예수님은 이곳에서 제자들에게 "오직 성령이 너희에게 임하시면 너희가 권능을 받고 예루살렘과 온 유대와 사마리아와 땅끝까지 이르러 내 증인이 되리라"(행 1:8)라고 말씀하시면서 세계 복음화의 비전을 주신 것입니다.

이제 이 말씀에 근거해서 하나님 나라 비전의 실현을 위한 세 가지 중요한 질문을 던지고자 합니다. 즉, 그것은 예수님의 제자 된 우리가 하나님 나라의 비전을 무엇으로, 어떻게, 어디에서부터 실현할 수 있겠느냐는 것입니다.

복음으로 실현되는 하나님 나라의 비전

우선, 하나님 나라의 비전을 무엇으로 실현해야 할까요? 한마디로 말하면, 복음 전도로 실현되어야 한다는 것입니다. 그러나 제자들은 대개 예수님을 따르면서 소위 정치적 혹은 사회적 행동으로 이 땅에 하나님 나라가 오리라는 기대를 가졌던 것으로 보입니다. 예수님을 따르는 길이 당시 이스라엘을 억압하는 로마의 압제를 물리치고 조국을 하나님 나라로 만드는 첩경이라고 믿었던 것입니다. 특히 시몬과 같은 열심당원 출신의 제자들이 그런 생각을 가지고 있었습니다. 그러다가 예수님의 십자가의 죽음으로 그런 모든 기대를 접었고, 예수님의 부활 소식을 접하자 다시 '그분이 죽음의 세력까지 정복할 수 있는 분이라면, 로마 제국을 물리치는 것도 가능한 시나리오다'라고 믿고 싶었던 것입니다. 그래서 예수님께 이 같은 질문을 던집니다.

"주께서 이스라엘 나라를 회복하심이 이때니이까"(행 1:6).

지금도 '사회 복음'(social gospel)을 기독교의 본질로 믿고 있는 그리스도인 지도자와 성도 중에는 이런 기대를 갖고 있는 이들이 적지 않습니다. 기독교의 할 일이 정치적이고 사회적인 행동을 통해 이 땅에 하나님 나라가 임하게 하는 것이라고 생각하는 것입니다. 문제는 이런 시도가 역사적으로 성공한 사례도 없고, 그것이 성경적인 기대도 아니라는 사실입니다.

그러면 하나님 나라가 이 땅에 임하게 하는 주님의 핵심적인 방법은 무엇입니까? 그리스도인들이 주님의 증인으로 사는 것, 바로 복음 전도입니다. 예수님은 "내 증인이 되리라"라고 하시지 않았습니까? 그러나 그 길이 정치적이고 사회적인 행동보다 더 쉽다고 생각해서는 안 됩니다. 여기서 '증인'이라는 단어는 '순교적 증인'이라는 의미입니다. 곧 우리가 만나고, 보고, 듣고, 경험한 그리스도를 목숨 걸고 증거하라는 것입니다.

실제로 초대 교회의 믿음의 선배들과 역사 속의 많은 그리스도인이 그렇게 복음을 전하다가 순교했습니다. 그리하여 로마가 마침내 복음의 능력 앞에 스스로 무너지고, 찬란한 비잔틴 시대의 새 세상이 열린 것입니다. 로마에 그리고 이스라엘에 부분적이지만 하나님 나라가 임한 것입니다. 비로소 예수님의 제자들은 정치의 힘, 군대의 힘보다 더 놀랍고 위대한 복음의 능력을 경험하게 되었습니다.

그런데 복음이 지금도 동일한 능력을 가진 것이라면, 왜 오늘날의 세상에서 우리는 이런 능력을 경험하지 못하고 사는 것인지 의문이 들 것입니다. 그러면 우리는 과연 1세기의 그리스도인들처럼 예수님의 증인 되는 일에 목숨을 걸고 살고 있느냐를 되물어야 합니다. 지나간 역사 속에서 복음의 강력한 역사가 있었던 시대를 들여다보면 한 가지 공통점을 발견할 수 있습니다. 그것은 그 시대의 그리스도인들이 '복음 전도의 우선순위'를 믿고 복음적인 삶을 살고 있었다는 사실입니다. 그들은 무엇보다도 자신들이 가장 먼저 해야 할 중요한 일은 전도라고 믿었습니다. 한국의 초대 교회, 초대 그리스도인들도 마찬가지였습니다. 그때 우리는 일본 통치의 어두운 식민지 시대를 살았지만, 강력한 복음의 능력을 경험하면서 하나님 나라의 새벽을 바라보았습니다.

성령의 권능으로 준비하는 하나님 나라의 비전

그렇다면 하나님 나라의 비전은 어떻게 준비될 수 있을까요? 그 대답은 성령의 권능으로 준비되어야 한다는 것입니다. 성경은 "오직 성령이 너희에게 임하시면 너희가 권능을 받고"(행 1:8)라고 말씀합니다. 사실 제자들이 포기하지 않았던 하나님 나라의 꿈은 로마를 물리적 힘으로 전복시키는 것이었습니다. 따라서 그들은 예수님을 부활시킨 힘이 정치적인 힘으로 나타날 것을 기대했을지 모릅니다. "이스라엘을 회복하심이 이때입니까?"라는 제자들의 질문 속에서 우리는 그런 뉘앙스를 읽을 수 있습니다.

예수님은 일찍부터 하나님 나라는 그런 방법으로 임하지 않는다고 바리새인들에게 분명히 선언하셨습니다.

> "바리새인들이 하나님의 나라가 어느 때에 임하나이까 묻거늘 예수께서 대답하여 이르시되 하나님의 나라는 볼 수 있게 임하는 것이 아니요 또 여기 있다 저기 있다고도 못하리니 하나님의 나라는 너희 안에 있느니라"(눅 17:20-21).

여기서 우리는 하나님 나라가 인간의 내면에서부터 시작되는 마음의 나라인 것을 알 수 있습니다. 그리고 그 비밀은 성령의 임하심인 것입니다. 그래서 예수님은 제자들에게 예루살렘을 떠나지 말고 먼저 아버지가 약속하신 성령을 기다리라고 하신 것입니다(행 1:4 참조). 사도행전의 기자인 누가는 이미 누가복음에서 다음과 같이 말했습니다.

“또 그의 이름으로 죄 사함을 받게 하는 회개가 예루살렘에서 시작하여 모든 족속에게 전파될 것이 기록되었으니 너희는 이 모든 일의 증인이라 볼지어다 내가 내 아버지께서 약속하신 것을 너희에게 보내리니 너희는 위로부터 능력으로 입혀질 때까지 이 성에 머물라 하시니라”(눅 24:47-49).

누가는 사도행전에서 말하는 능력이 바로 성령의 능력인 것을 선언하고 있습니다. 그러면 우리는 하나님 나라가 이 땅에 오게 하기 위해 무엇부터 해야겠습니까? 바로 성령의 능력을 구하고 성령의 세례(침례)를 받는 것입니다.

“요한은 물로 세례[침례]를 베풀었으나 너희는 몇 날이 못 되어 성령으로 세례[침례]를 받으리라 하셨느니라”(행 1:5).

신학자들은 이 ‘성령의 세례(침례)’가 무엇을 의미하는지에 대해 아직도 치열하게 토론하고 있지만, 확실한 것은 우리가 예수님을 믿고 세례(침례)를 받아 그리스도인이 되었다는 것만으로는 이 세상을 변화시키는 전도자의 삶을 살 수 없다는 사실입니다. 그 이상, 즉 회심(구원받은 것) 이상의 준비와 체험이 필요한 것입니다.

그래서 그들은 모였습니다. 약속을 믿고 기도했습니다.

“여자들과 예수의 어머니 마리아와 예수의 아우들과 더불어 마음을 같이하여 오로지 기도에 힘쓰더라"(행 1:14).

이렇게 기도하고 성령을 체험한 그들은 초대 교회의 세상 변화의 주역들, 다시 말해 하나님 나라의 증인들이 되었습니다. 그렇다면 모여서 기도하는 일, 성령의 능력을 체험하는 일이야말로 민족 치유, 세상 변화를 열망하는 그리스도인들이 먼저 해야 할 일일 것입니다.

예루살렘에서 시작되는 하나님 나라의 비전

그러면 하나님 나라의 비전을 어디에서부터 실현해야 할까요? 그 대답은 예루살렘에서부터 해야 한다는 것입니다.

"예루살렘과 온 유대와 사마리아와 땅끝까지 이르러 내 증인이 되리라 하시니라"(행 1:8).

궁극적으로 우리는 말씀처럼 땅끝까지 가야 합니다. 온 세상을 사랑하시는 하나님은 이 땅의 모든 열방, 모든 민족을 동일하게 사랑하시기 때문입니다. 그런데 위의 말씀에 나오는 지명들이 꼭 복음화의 순서를 뜻하는 것은 아닙니다. 다시 말해, 예루살렘의 복음화가 이루어진 다음에 유대와 사마리아, 마지막으로 땅끝에 복음화가 이루어지는 것이 아니라는 말입니다. 그런 순서를 고집한다면 우리는 예루살렘의 완전 복음화가 실현되기까지 유대로, 사마리아로 선교의 발걸음을 옮기지 못할 것입니다. 우리는 예루살렘을 전도하면서 동시에 유대와 사마리아 그리고 땅끝에도 관심을 가져야 합니다.

그럼에도 불구하고 이 말씀은 우리의 전도 명령에 대한 일차적 순종이 예루살렘, 즉 우리가 사는 마을, 우리가 일하는 직장과 일터에서부터 시작되어야 마땅함을 가르치고 있습니다. 결국 온 세상의 변화도 한 마을의 변화에서 시작되고, 인류의 복음화도 내 곁에 있는 한 사람의 이웃에게서 시작되는 것입니다.

오늘날 우리나라는 전도가 후퇴하는 시절을 보내고 있습니다. 이런 안타까운 현실 속에서 잊지 말아야 할 것이 있습니다. 우리가 지금 이 땅에서 예수님을 믿으며 그 믿음을 통한 행복을 누리고 있는 것은 전적으로 우리 선배들의 전도와 사랑에 빚지고 있기 때문이라는 사실을 말입니다.

한국의 기독교 인구가 16퍼센트대로 추락하고 있는 요즘, 이 땅에서 최고의 복음화를 자랑하는 곳이 있습니다. 그곳은 전라남도 신안군에 위치한 증도라는 곳인데, 지금은 많이 줄었지만 2010년까지만 해도 90퍼센트의 복음화를 자랑하던 섬입니다. 이 섬의 이야기를 담은 《천국의 섬》(가나북스)이라는 책에 보면, 증도에는 섬 특유의 미신이나 투전판이나 놀음이 없고, 사찰, 굿당, 점집도 존재하지 않는다고 합니다. 그리고 주말이면 대부분의 식당이 문을 닫았다고 합니다. 섬 전체 인구 중 90퍼센트가 주일에 교회에 갈 준비를 했기 때문입니다. 당시 11개의 교회 중 6개의 교회가 자립해 있었고, 이 교회들은 서로를 도와 가며 증도를 살기 좋은 천국의 섬으로 가꾸었습니다.

그런데 이 섬의 복음화는 목사님도, 선교사님도 아닌 한 불행했던 여인의 헌신으로 말미암은 것이었습니다. 이 책에서 저자는 섬의 한 할머니를 붙들고 묻습니다.

"할머니, 이 작은 섬에 왜 이렇게 교회가 많지요?"

그러자 할머니는 주저 없이 대답합니다.

"아, 그거야, 다 문준경 전도사님 덕분이제."

1891년 신안군 암태면에서 태어난 문준경은 17세의 나이에 증도로 시집을 오게 됩니다. 그러나 신랑 얼굴 한번 못 보고 혼례를 치른 첫날밤부터 소박을 맞습니다. 이후 20년간 남편에게 버림받은 생과부가 되어 모진 생활을 하던 그녀는 우연히 집을 찾아온 전도 부인(傳道婦人)에게 복음을 듣고 예수님을 믿게 됩니다. 그리고 이성봉 목사의 부흥회에서 은혜를 받고 하나님 나라에 헌신합니다.

그녀는 경성성서학원에 입학하여 전도 부인이 된 후 다시 고향인 신안에 내려와 나룻배를 타고 섬들을 오가며 복음을 전하기 시작합니다. 주민들의 부탁으로 짐꾼, 우체부, 약사, 의사 노릇을 하며 1년에 아홉 켤레나 되는 고무신을 갈아 치우며 이 섬, 저 섬의 자갈밭 길을 다녔습니다. 그리고 아이, 병자, 어른을 막론하고 만나는 사람마다 찬양을 불러 주고 기도를 해 주며 복음을 전했습니다. 섬마다 개척 교회들이 세워지고, 그녀의 영향을 받은 청소년들 가운데 김준곤 목사, 이만신 목사, 정태기 목사, 신복윤 목사, 이봉성 목사 등 30여 명의 한국 교회 목회자가 생겨났습니다.

그러던 중 6.25 전쟁이 발발했고, 공산당원은 그녀를 체포하자마자 "새끼를 많이 깐 씨암탉아, 죽어라"라고 소리치며 몽둥이를 내리쳤습니다. 문준경은 "아버지여, 내 영혼을 받으소서"라고 기도하며 총탄을 맞고 숨을 거두었습니다. 그러나 공산당원의 증언처럼, 그녀는 수많은 영혼의 생명을 낳은 거룩한 씨암탉으로 주께 부름을 받은 것이었습니다. 그녀의 장례식에는 당시 가장 큰 장례였던 김구 선생의 장례 때보다 더 많은 인파가 모였다고 합니다. 그들은 모두 그녀에게 전도 받은 사람들, 성경을 배운 사람들, 기도 받은 사람들, 사랑받은 사람들, 도움 받은 사람들, 그녀의 손으로 눈물을 씻김 받은 사람들이었습니다. 그 결과 오늘날 증도가 민족의 성지가 될 만큼 대다수가 예수를 믿는 천국의 섬으로 변화된 것입니다.

만일 우리 가운데 문준경 같은 거룩한 전도자가 생겨날 수 있다면, 또 우리가 이런 전도자들을 키워 낼 수만 있다면 사도행전의 부흥은 다시 한번 이 땅에 일어날 것입니다. 그러면 누가 이러한 비전을 실현하는 주인공이 되어야 할까요? 우리가 아니면 누가 하겠습니까? 지금이 아니면 언제 하겠습니까? 여기서부터 안 한다면 어디에서부터 하겠습니까? 지금 이 순간, 우리의 삶의 자리가 다시 거룩한 복음의 명령을 받는 감람산이 되어야 할 것입니다.

"제자들이 감람원이라 하는 산으로부터 예루살렘에 돌아오니 이 산은 예루살렘에서 가까워 안식일에 가기 알맞은 길이라 들어가 그들이 유하는 다락방으로 올라가니 베드로, 요한, 야고보, 안드레와 빌립, 도마와 바돌로매, 마태와 및 알패오의 아들 야고보, 셀롯인 시몬, 야고보의 아들 유다가 다 거기 있어 여자들과 예수의 어머니 마리아와 예수의 아우들과 더불어 마음을 같이하여 오로지 기도에 힘쓰더라 오순절 날이 이미 이르매 그들이 다같이 한곳에 모였더니 홀연히 하늘로부터 급하고 강한 바람 같은 소리가 있어 그들이 앉은 온 집에 가득하며 마치 불의 혀처럼 갈라지는 것들이 그들에게 보여 각 사람 위에 하나씩 임하여 있더니 그들이 다 성령의 충만함을 받고 성령이 말하게 하심을 따라 다른 언어들로 말하기를 시작하니라"(행 1:12-14, 2:1-4).

2

기도의 탑으로
인생의 바벨탑을 허물라

기도는 하나님의 뜻을
이루는 통로다

다락방에서 이루어진 성령 체험

신학자들은 성경의 역사를 하나님의 구원의 역사, 곧 '구속사'(salvation history)라고 말합니다. 그런데 이 구속사에서 사도행전 2장은 매우 중요한 위치를 차지합니다. 사도행전 2장에서 성령이 강림하고 신약 교회가 탄생하기 때문입니다. 그런데 사도행전 2장을 바로 이해하기 위해서는 창세기 11장을 함께 염두에 두고 읽어야 합니다. 왜냐하면 창세기 11장에서 인류가 경험하게 된 문제 해결의 희망이 비로소 사도행전 2장에서 시작되기 때문입니다.

창세기 11장에서 인류는 바벨탑을 쌓다가 하나님의 심판을 받게 됩니다. 그 결과 바벨탑은 무너지고, 인류는 전 세계로 흩어져 각기 다른 언어를 사용하는 민족들이 됩니다. 이로 인해 민족과 민족 사이에 벽들이 쌓이면서 언어와 마음이 소통되지 않는 갈등을 경험하게 됩니다. 그런데 사도행전 2장에서 성령이 강림하고 그 성령을 체험하자, 인류는 역사상 처음으로 그들이 사용하는 다른 언어에도 불구하고 한마음이 되어 같은 메시지를 듣고 민족과 언어의 벽, 유대인과 이방인의 벽을 초월하여 하나의 공동체를 형성하게 됩니다. 이것이 바로 신약 교회의 탄생입니다.

이런 성령의 강림과 교회의 탄생이 이루어진 곳이 예루살렘 옛 성 시온 문을 나와 100미터 지점인 시온의 언덕에 자리 잡은 2층 다락방이었습니다. 성경을 보면 예수의 제자들이 감람산에서 다시 예루살렘으로 돌아옵니다.

"제자들이 감람원이라 하는 산으로부터 예루살렘에 돌아오니 이 산은 예루살렘에서 가까워 안식일에 가기 알맞은 길이라"(행 1:12).

그리고 그들은 자신들이 유하고 있던 다락방(방 한가운데 세 개의 기둥이 주위 벽에 서 있는 기둥들과 연결되어 아름다운 아치 형상으로 천장을 받치고 있는 로마네스크 건축 양식을 하고 있다)으로 올라갑니다(행 1:13 참조). 이곳은 평소 예수님과 제자들이 자주 모이던 마가 요한의 집(행 12:12 참조)에 있던 다락방이었습니다. 여기서 예수님은 제자들과 마지막 만찬을 함께하셨고, 제자들의 발을 씻겨 주기도 하셨습니다. 또한 이곳에서 제자들은 성령의 강림을 경험했고, 성령으로 충만하여 복음을 전하기 위해 전 세계로 나아갔습니다. 이곳이 바로 신약 교회가 탄생한 요람이 된 곳이라 할 수 있습니다.

이쯤 되면 예수님의 처음 제자들이 경험한 역사적 성령 충만의 비밀이 궁금해집니다. 그들은 어떻게 해서 성령 충만을 경험할 수 있었을까요? 이 시대를 사는 우리가 성령 충만으로 선교의 사명을 감당하기 위해서는 이 질문을 하지 않을 수 없습니다.

성령 충만은 순종의 자리에서 시작된다

우선, 예수님의 제자들이 다시 예루살렘의 다락방에 모인 것은 주님의 말씀에 순종하기 위해서라는 사실을 잊지 말아야 합니다. 사도행전 1장 4절을 보면 다락방 성령 체험의 시발점이 드러나 있습니다.

"사도와 함께 모이사 그들에게 분부하여 이르시되 예루살렘을 떠나지 말고 내게서 들은바 아버지께서 약속하신 것을 기다리라."

이 말씀은 주님이 마가의 다락방에서 처음으로 제자들에게 주신 것이 아니라, 이미 누가복음 24장 49절에서 분부하신 것이었습니다.

"볼지어다 내가 내 아버지께서 약속하신 것을 너희에게 보내리
니 너희는 위로부터 능력으로 입혀질 때까지 이 성에 머물라 하
시니라."

그러므로 처음 성령 충만을 경험한 자리는 순종의 자리였습니다.
누가 성령 충만을 받습니까? 순종하는 제자입니다. 주께서 예루살
렘에 머물라고 하시면 머물고, 모이라고 하시면 모였습니다. 주님
의 말씀에 순종한 것입니다. 그리고 그런 순종의 사람들에게 성령
이 부어졌습니다.

"우리는 이 일에 증인이요 하나님이 자기에게 순종하는 사람들에
게 주신 성령도 그러하니라 하더라"(행 5:32).

저는 지금까지 목회하면서 매사에 계산이 빠르고, 비판적이며,
부정적인 성도들이 성령 충만함을 받은 것을 본 일이 없습니다. 성
령 충만함을 사모한다면 먼저 하나님의 말씀에 온전히 순종할 것
을 결단하십시오. 주께서 모이라고 하면 모이고, 기도하라고 하면
기도하고, 가라고 하면 가십시오. 오늘 우리가 사는 세상은 순진
한 순종을 어리석음으로 매도하고 있지만, 성경은 순종이 신앙의
기본임을 구구절절 강조하고 있습니다. 또한 성경은 불순종이 초
래한 불행을 여러 번 보여 줍니다. 그래서 앤드류 머레이(Andrew
Murray)는 "우리가 신앙에 입문하는 순간, 순종의 학교에 입학한다"

라고 말했습니다.

2008년 베이징 올림픽의 국가적 영웅이었던 역도 선수 장미란은 그녀의 성공 비밀을 아버지에게 순종한 결과라고 말한 바 있습니다. 자신은 한때 역도하기가 죽기보다 싫었다고 합니다. 그러나 "이 길이 네가 갈 길이다"라는 아버지의 말씀에 결국은 순종하기로 결심한 것이 그녀의 역도 인생의 성공 비밀이었다는 것입니다. 그러나 장미란의 아버지는 자신의 딸을 강압하기만 한 것이 아니라, 동시에 꿈을 심어 주었습니다. 그녀의 무명 선수 시절에 아버지는 딸에게 사인을 만들어 주고 연습을 시켰습니다. "저에게 무슨 사인이 필요해요?"라고 말하면 "그때가 곧 올 것이다"라고 대답했습니다. 그래서 그녀의 특이한 사인이 탄생했다고 합니다.

성경은 하나님 아버지께서 명령하시는 말씀으로 가득 차 있습니다. 그리고 하나님 아버지는 자녀 된 우리에게 이 말씀을 따르는 것이 곧 우리의 복이라고, 우리의 성공이라고 말씀하십니다. 그렇다면 우리는 당장 순종의 자리에 서야 합니다. 이것이 바로 성령 충만의 첫 스텝입니다.

성령의 능력을 사모하라

예수님은 이미 처음 제자들에게 성령이 임하면 그들이 권능을 받고 예루살렘과 온 유대와 사마리아와 땅끝까지 이르러 그리스도의 증인이 될 것이라고 말씀하셨습니다. 그러나 동시에 성령의 권능을 받기 위해서는 그들이 얼마간 예루살렘에 머물며 성령의 능력이 임하도록 기다려야 한다고 말씀하셨습니다. 또한 약속하신 성령의 능력을 구해야 한다고 하셨습니다. 그러면 이제부터 그들의 할 일은 무엇일까요? 기도로 성령의 능력을 구하는 일일 것입니다. 그래서 제자들은 다락방에 모여 기도하기 시작합니다.

> "들어가 그들이 유하는 다락방으로 올라가니 베드로, 요한, 야고보, 안드레와 빌립, 도마와 바돌로매, 마태와 및 알패오의 아들 야고보, 셀롯인 시몬, 야고보의 아들 유다가 다 거기 있어 여자들과 예수의 어머니 마리아와 예수의 아우들과 더불어 마음을 같이하여 오로지 기도에 힘쓰더라"(행 1:13-14).

그다음에 이어지는 성경 구절을 보면 120명이 모여 다락방에서 기도합니다.

> "모인 무리의 수가 약 백이십 명이나 되더라"(행 1:15).

그들은 성령의 능력을 사모하며 기도했습니다. 그리스도의 증인이 되게 해 달라고, 가룟 유다를 대신할 사도를 선출하게 해 달라고, 다시 한번 열두 사도와 함께하는 공동체가 주의 부활의 일치된 증인이 되게 해 달라고 기도했습니다. 그들은 열흘 가까이 집중적으로 기도했고, 마침내 성령이 임했습니다.

저는 지금도 교회 공동체가 이만한 집중력을 가지고 딱 열흘만 모든 성도가 모여 기도에 몰입하고 성령의 능력을 사모한다면, 과연 어떤 일이 벌어질지를 상상해 봅니다. 기도는 단순히 우리의 욕심을 이루는 통로가 아닙니다. 모든 치열한 기도는 결국 하나님의 뜻을 이루는 통로가 됩니다. 사도행전 2장은 "오순절 날이 이미 이르매"(행 2:1)라는 말씀으로 시작됩니다. 저는 이 대목을 대할 때마다 성령 강림이 오순절이라는 타이밍에 맞추어 주께서 이루신 일임을 강조하려는 기자의 의도를 엿보게 됩니다.

역사적으로 오순절은 유월절, 초막절과 함께 이스라엘 3대 절기의 하나로 지켜졌습니다. 그런데 이 절기는 처음 그리스도인들에게는 더욱 특별한 의미로 다가왔을 것입니다. 제자들에게 있어서 그날은 예수님이 부활하고 40일을 이 땅에 계시다가 승천한 지 며칠이 경과된 날이었기 때문입니다.

'오순절'(Pentecost)이라는 말은 본래 50일이라는 뜻입니다. 그날 성령이 강림하시고 교회가 예수 부활의 새 생명의 열매를 안고 탄생한 것입니다. 그리고 하나님은 이 일에 초대 교회 성도들의 기도를 사용하셨습니다. 성령은 오순절에 오시기로 작정된 것이지만, 그냥 오신 것이 아니라 성도들의 기도를 통해 오신 것입니다.

그러면 기도는 무엇입니까? 기도는 바로 하나님의 뜻을 이루는 통로입니다. 그러므로 우리는 기도로 일하는 자들입니다. 모든 하나님의 사람은 기도로 일하는 것을 배워야 합니다. 그리고 무엇보다 먼저 사역 이전에 성령의 능력을 구해야 합니다. 하나님의 일을 하면서 문제를 만드는 이들을 보면 대부분 자신의 고집과 소견만으로 일하는 사람들입니다. 당신의 모든 고집과 소견을 내려놓고 성령의 능력으로 채워 달라고 기도하십시오. 그리고 성령의 이끄심으로 일하게 해 달라고 기도하십시오. 이것이 진정한 사역의 시작이요, 성령 충만의 자리입니다.

다락방 사람들에게 임한 성령

기독교의 시작은 역사적 사건을 사실적으로 체험한 데서 비롯됩니다. 그것이 바로 오순절 사건입니다. 참된 기독교는 단순한 하나의 사상도 아니요, 이론이나 교리도 아닙니다. 물론 교리도 중요합니다. 그러나 기독교의 본질은 교리 이상의 사건이요, 사실이요, 체험, 곧 '리얼리티'입니다.

다락방에 성령이 임하면서 급하고 강한 바람 같은 소리가 온 집에 가득했습니다(행 2:2 참조). 또한 불이 혀같이 갈라져 각 사람 위에 임했습니다(행 2:3 참조). 그리고 사람들이 성령으로 충만하여 방언으로 성령의 메시지를 말했습니다(행 2:4 참조). 물론 이때의 방언이 요즘 말하는 소위 영음 방언(성령으로 말미암은 기도)인가, 아니면 자신들의 고유 언어인 여러 외국어인가에 대해서는 학자들의 공통된 결론이 없습니다. 하지만 본문의 문맥상 대체로 외국어를 뜻할 가능성이 크다고 생각합니다. 사도행전 2장 6절을 보면 오순절에 예루살렘에 모여든 천하 각국의 사람들이 제자들의 증거를 각각 자기의 방언(자기 언어)으로 말하는 것을 들었다고 했고, 9절 이하에 서는 여러 나라와 지역의 이름들이 열거되어 있는 것을 볼 수 있습 니다. 자기 언어로 주님의 복음을 알아듣고 충격을 받은 것입니다.

이것이 기독교 복음의 시작이었습니다. 그런데 이 복음이 성령의 놀라운 '표적과 기사'(signs and wonders)를 동반했습니다. 바람과 불 이 동반된 것입니다. 성령이 바람과 불로 임하여 복음의 진정성을 입증한 것입니다. 그리고 이 모든 표적은 하나님이 그곳에 함께하 며 임재하신다는 증거가 되었습니다. 이런 임재의 체험은 사람마 다 다르게 경험되었습니다.

때로 우리는 신앙의 체험을 지나치게 보편화하고 싶은 유혹을 느낄 때가 많습니다. 그러나 오순절 다락방에서의 성령 체험은 사 람마다 달랐을 것입니다. 어떤 사람은 바람을 느끼고, 어떤 사람 은 혀같이 갈라지는 불을 보았을 것입니다. 또 어떤 사람은 배우지 도 않은 다른 언어를 말했을 것입니다. 어떤 사람은 꿈을 꾸고, 어 떤 사람은 환상을 보았을 것입니다. 어떤 사람은 갑자기 지루한 일 상을 깨는 뜨거운 희망이 불덩이처럼 가슴에서 솟아남을 경험했 을 것입니다. 또 어떤 사람은 눈으로 나타난 가시적인 체험은 없 을지라도 의식의 깊은 곳에서 하나님이 함께하심을 강력하게 느꼈 을 것입니다.

이 모든 것은 성령의 임재를 체험한 사건이었습니다. 그리고 그들은 모두 달라졌습니다. 그들은 더 이상 소심한 다락방 사람들이 아니었습니다. 그들은 성령의 날개를 펴고 예루살렘과 유대와 사마리아와 땅끝까지 나아가기 시작했습니다. 이것이 바로 오순절 사건입니다.

어떤 사람이 독수리 새끼를 잡아 닭장에 넣고 병아리, 닭들과 함께 길렀습니다. 이 독수리 새끼는 자신이 독수리라는 정체성을 상실하고 얌전하게 닭들의 세계에 적응하게 되었습니다. 그 독수리는 다른 닭들과 마당에서 모이를 먹고 한가롭게 걸으며 산책하다가 해가 저물면 닭장에서 다른 닭들과 함께 곤히 잠들곤 했습니다. 그러던 어느 날, 시원한 바람이 불어오더니 갑자기 닭장 위로 독수리 몇 마리가 하늘을 비상하며 날아갔습니다. 그 모습을 지켜보던 새끼 독수리의 눈빛이 빛나기 시작했습니다. 잠시 후 두 날개를 편 독수리는 자신의 동료들을 따라 창공으로 높이 치솟아 오르더니 함께 수평선 너머로 날아갔습니다. 그러고는 다시 닭장으로 돌아오지 않았다고 합니다.

저는 이것이 바로 예수님의 처음 제자들에게 일어났던 사건이라고 믿습니다. 제자들은 예수님을 믿고 새로운 존재로 거듭났지만, 그들은 아직도 세상의 자녀들과 다름없이 살고 있었습니다. 그런데 그들이 모여 기도하던 예루살렘 다락방에 성령이 한순간 바람처럼 임했습니다. 이제 그들은 하나님의 자녀로서 능력의 날개를 펴고 비상하게 된 것입니다. 또한 그들에게 불이 임했습니다. 그들의 혀는 불을 토하며 예수의 생명과 소망을 증거하기 시작했습

니다. 모든 것이 달라졌습니다. 그들은 성령의 사람, 복음의 증인
이 된 것입니다.

지금이야말로 우리 인생을 하늘로 들어 올릴 거룩한 바람에 우리
의 현존을 맡길 때입니다. 지금이야말로 춥고 외로운 인생의 마당
에 거룩한 불이 임하여 우리의 실존을 능력의 불로 태울 때입니다.
지금이 바로 성령의 능력을 사모할 시간이요, 성령의 임재를 체험
할 시간인 것입니다.

"사람마다 두려워하는데 사도들로 말미암아 기사와 표적이 많이 나타
나니 믿는 사람이 다 함께 있어 모든 물건을 서로 통용하고 또 재산과
소유를 팔아 각 사람의 필요를 따라 나눠 주며 날마다 마음을 같이하
여 성전에 모이기를 힘쓰고 집에서 떡을 떼며 기쁨과 순전한 마음으로
음식을 먹고 하나님을 찬미하며 또 온 백성에게 칭송을 받으니 주께서
구원받는 사람을 날마다 더하게 하시니라"(행 2:43-47).

3

예배의 소통이 가정을 형통케 한다

세상의 구주가
우리 가정의 구주가 되신다

세상을 변화시킨 공동체의 힘

인기 여류 작가 신경숙의 소설, 《엄마를 부탁해》(창비)의 첫 줄은 이런 말로 시작합니다.

"엄마를 잃어버린 지 일주일째다."

이 소설의 줄거리는 지하철역에서 아버지의 손을 놓치고 실종된 어머니의 흔적을 더듬어 찾아가며 가족들이 각자의 관점에서 어머니와 가족의 관계를 회상하는 이야기입니다. 어머니가 실종됨으로 인하여 비로소 어머니의 존재가 가족들에게 다시 소중하게 다가오게 됩니다. 전단지를 붙이고 광고를 내면서 어머니를 찾아 헤매는 자식들과 남편의 모습 속에서 독자들은 잃어버린 어머니와 아버지 그리고 고향 옛집의 향수를 함께 회상하게 됩니다. 1장에서는 딸이, 2장에서는 큰아들이, 3장에서는 아버지와 남편이, 4장에서는 어머니와 아내가 그리고 마지막으로 다시 딸이 각자의 시선으로 가정의 풍경과 가족들의 내면을 그려 내고 있습니다.

저는 이 소설이 인기를 얻은 중요한 이유는, 오늘날 우리가 잃어버린 부모와의 유대감, 가정의 가치에 대한 향수를 자극했기 때문이라고 생각합니다. 우리는 언제나 잃어버리고 나서 그것의 소중한 가치를 자각하는, 깨달음이 느린 인생입니다. 우리가 살아가는 포스트모던의 시대는 흔히 파괴와 해체로 상징되고 있습니다. 이런 시대에 우리가 잃어버린 가장 소중한 공동체는 가정이 아닐까 생각합니다. 그렇다면 우리가 하나님의 백성으로서 회복해야 할 가장 소중한 가치는 무엇일까요? 그것은 가정의 가치입니다.

세상을 변화시킨 초대 교회의 엄청난 힘은 바로 가정 공동체의 힘이었습니다. 초대 교회 성도들은 일주일에 단 하루, 성전에서 드리는 예배만으로는 결코 영적으로 만족할 수 없었습니다. 그래서 그들은 성전과 집에서 모임을 가졌습니다.

"날마다 마음을 같이하여 성전에 모이기를 힘쓰고 집에서 떡을 떼며 기쁨과 순전한 마음으로 음식을 먹고"(행 2:46).

그 결과 "하나님을 찬미하며 또 온 백성에게 칭송을 받으니 주께서 구원받는 사람을 날마다 더하게"(행 2:47) 하셨습니다. 초대 교회 성도들이 삶의 현장에서 이웃들을 구원하고 칭송을 받을 수 있었던 것은 바로 그들의 집이 교회 역할을 감당하고 있었기 때문입니다. 다시 말하면, 그들의 집이 하나님 나라 사역의 중심이 되고 있었던 것입니다. 그렇다면 오늘을 사는 우리가 우리의 집을 하나님 나라 사역의 중심이 되게 하는 비밀은 무엇일까요?

집을 열어야 한다

우리가 살고 있는 집이 하나의 교회가 되려면 교회의 주인이요, 머리가 되신 예수님을 만나러 사람들이 모일 수 있도록 집을 개방해야 합니다. 사실 초대 교회는 거의 예외 없이 집에서 모인 교회들이었습니다. 마가 요한의 집에서 모인 예루살렘교회, 루디아의 집에서 탄생한 빌립보교회, 브리스길라와 아굴라의 집에서 모인 에베소교회, 눔바의 집에서 모인 라오디게아교회 그리고 빌레몬의 집에서 모인 골로새교회가 대표적인 사례입니다.

> "그리스도 예수를 위하여 갇힌 자 된 바울과 및 형제 디모데는 우리의 사랑을 받는 자요 동역자인 빌레몬과 자매 압비아와 우리와 함께 병사 된 아킵보와 네 집에 있는 교회에 편지하노니"(몬 1:1-2).

성경학자들은 이 말씀에 언급된 사람들이 모두 빌레몬의 가족이었을 것이라고 말합니다. 자매 압비아는 빌레몬의 아내이고, 아킵보는 그의 아들이었을 것이라는 말입니다. 그런데 바울은 아킵보를 병사라고 부르고 있습니다. 그가 좋은 가정 교회의 영향으로 복음의 군사요, 병사로 자라고 있었다는 의미입니다.

물론 우리가 집을 개방할 때는 지불해야 할 여러 대가가 따릅니다. 사생활의 위축, 사람들이 시도 때도 없이 드나들어 밥을 축내는 어려움 등입니다. 그러나 동시에 가족들은 자기 집 한복판에서 기도와 예배를 경험하고, 서로를 향한 용서와 사랑, 믿지 않다가 구원받는 사람들의 변화를 목격하게 됩니다. 그리고 무엇보다 이 집을 드나드는 거룩한 사람들의 신앙적 모범을 배울 수 있습니다. 빌레몬의 아들 아킵보는 아마 자기 집에서 사도들도 만나고 오네시모도 만났을 것입니다. 그는 사도들의 말씀을 들을 기회를 얻었고, 노예이자 빌레몬의 재산에 피해를 입혔던 오네시모가 회개하고 거룩한 성자로 변화하는 것을 지켜보았을 것입니다. 이것은 학교 교육이 줄 수 없는 경험이며, 그 영향으로 마침내 그는 하나님 나라의 영적 용사로 성숙해 간 것입니다.

그렇다면 우리의 집을 가정 교회, 목장 교회(셀, 구역, 다락방 등)로 여는 것이 우리 자신을 위해, 우리 자녀들을 위해, 우리 마을의 복음화를 위해 그리고 무엇보다 주님을 위해, 하나님 나라를 위해 얼마나 중요한 일입니까? 초대 교회가 건물 없이도 그 당시의 세상을 복음화한 비밀이 여기에 있습니다. 이제 우리의 집을 열 때입니다.

그것이 하나님 나라의 사역이 시작되는 출발점입니다.

마음을 여는 나눔이 있어야 한다

사도행전 2장 46절을 보면 "날마다 마음을 같이하여"라는 말씀으로 시작하여 "순전한 마음으로 음식을 먹고"라는 말씀으로 마무리되고 있습니다. 초대 교회 성도들은 이렇듯 마음이 통하는 모임으로 세상을 이겨 냈습니다. 그리고 그들의 마음의 소통은 관념적인 마음 열기에 머문 것이 아니라, 열린 마음으로 호주머니까지 열어 서로를 돕는 진정한 사랑의 공동체를 만들고 있었습니다.

"믿는 사람이 다 함께 있어 모든 물건을 서로 통용하고 또 재산과 소유를 팔아 각 사람의 필요를 따라 나눠 주며"(행 2:44-45).

이것은 마틴 로이드 존스(Martyn Lloyd Jones) 목사님이 지적한 것처럼 결코 원시 공산주의의 모습이 아닙니다. 그들은 국가의 분배 원칙에 따라 나눔을 실천한 것이 아니라, 어디까지나 성령의 감동에 따라 자발적으로 나눈 것이었습니다. 먼저 그들의 마음이 통하고 있었기 때문입니다. 오늘의 교회가 세상을 향한 영향력을 상실한 원인은 교회에 나와서도 서로 마음을 닫고 살기 때문입니다.

그래서 가정에서 모이는 목장 교회는 '마음의 나눔', '삶의 나눔'을 가장 중요한 것으로 여기며 실천해야 합니다. 이것이 성도가 누릴 교제의 핵심적인 풍경입니다. 보이스 컨설턴트 김창옥 대표가 쓴 《소통형 인간》(아리샘)이라는 책은 "통(通)하지 않으면 통(痛)한다"고 역설합니다. 소통하지 못하면 우리는 고통스러울 수밖에 없습니다. 우리 가정의 비극도, 교회의 갈등도, 사회의 방황도 결국은 소통의 문제입니다. 그래서 우리는 인생을 마음 열기에서부터 다시 배워야 합니다. 그리고 이런 마음의 소통을 위해 가족이나 이웃들의 마음의 소리를 경청하는 연습부터 해야 합니다.

어느 집에서 딸이 엄마에게 "엄마, 나 힘들어"라고 말했습니다. 그러자 엄마가 이렇게 대답합니다.

"너만 힘드냐? 지금 온 세상이 위기야. 힘들지 않은 사람이 어디 있니? 엄마가 너만 했을 때는 너보다 열 배는 힘든 일이 많았지만 다 견뎌 냈어. 네가 팔자가 좋아 그런 소리 하는 줄 알아."

이후 엄마의 말을 들은 딸은 다시는 엄마에게 마음을 열지 않았습니다. 만약 엄마의 대답이 이랬다면 어땠을까요?

"그래, 네가 많이 힘든 모양이구나. 엄마가 자랄 때도 힘든 세상이었지만 지금 세상은 훨씬 스트레스가 많은 것 같다. 내 딸아, 널 힘들게 하는 게 뭔지 엄마에게 이야기해 줄 수 있겠니? 너와 함께 기도하고 싶구나."

이런 엄마의 말을 들은 딸은 아마도 마음을 활짝 열고 자신의 이야기를 마음껏 했을 것입니다. 우리가 마음을 열기 시작할 때 세상이 변하기 시작합니다. 그래서 우리 가정 모임에는 반드시 이런 순전한 마음의 나눔이 있어야 합니다. 초대 교회처럼 말입니다.

거룩한 성찬이 있어야 한다

그렇다고 마음을 열고 우리의 한을 풀어내는 것만으로 가정 모임이 가정 교회가 될 수는 없습니다. 거기에는 우리의 한과 고통을 근원적으로 치유하시는 하나님에 대한 묵상과 찬양이 있어야 합니다. 그것이 바로 성찬입니다. 성찬은 교제의 떡을 떼는 것입니다. 의식으로서의 성찬이 아니어도 좋습니다. 아름다운 식탁에 마음들이 모이는 성찬을 정기적으로 계획해 보십시오.

"집에서 떡을 떼며 기쁨과 순전한 마음으로 음식을 먹고"(행 2:46).

이 말씀을 보면 초대 교회 성도들이 음식을 나누어 먹는 모습이 나옵니다. 그런데 그들은 음식만 먹은 것이 아니었습니다. 그들은 말씀을 먹었습니다. 이것이야말로 그들을 거룩하게 하는 성찬의 향연이었습니다.

"그들이 사도의 가르침을 받아 서로 교제하고 떡을 떼며 오로지 기도하기를 힘쓰니라"(행 2:42).

이것이 우리가 주일 예배에서 받은 말씀으로 말씀 사역을 마무리하지 않고, 목장 교회에서 주일에 받은 말씀을 다시 나누는 이유입니다. 초대 교회 성도들은 기도하며 복음 전도를 계획했고, 구원받는 사람들로 인하여 하나님을 찬미했습니다. 이것이 초대 교회의 모습이요, 우리가 목장 교회를 통해 회복을 열망하는 진정한 교회의 모습입니다. 한마디로 떡을 떼고 말씀을 먹고 찬미하고 기도하는 것, 이 모든 것을 망라하는 것이 바로 거룩한 성찬인 것입니다. 만일 가정에서 날마다 이런 성찬이 나누어진다면 우리의 가정은 어떤 모습으로 변해 갈까요? 우리의 가정 교회, 목장 교회는 어떤 영향력을 세상에 미치게 될까요? 그것은 아마도 하나님 나라의 모습일 것입니다. 이 땅의 모든 성도의 집에서 이런 거룩한 향연이 펼쳐지는 모습을 상상해 보십시오. 이것이 바로 하나님 나라 비전의 확장입니다.

저는 이야기의 화두를 신경숙의 소설, 《엄마를 부탁해》로 시작했습니다. 이제 그 결말이 궁금하지 않습니까? 이 소설 속의 가족은 엄마를 찾았을까요? 엄마를 잃어버린 지 9개월째 되었을 때, 딸은 이 세상에서 가장 작은 나라인 바티칸의 성 베드로 성당에 가서 미켈란젤로의 조각상인 '피에타' 앞에 섭니다. 그리고 "엄마를 부탁해"라는 기도를 하면서 이야기의 막을 내립니다.

후일 작가 신경숙은 이 마지막 대목의 사연에 대해 말했습니다. 그녀는 이 소설의 연재를 마치고 이탈리아 여행을 떠났습니다. 그리고 바티칸에서 미켈란젤로의 피에타상을 만났습니다. 죽은 아들인 예수를 안고 있는 성모의 모습을 보는 순간 그녀의 가슴이 요동쳤습니다. 미켈란젤로는 어떻게 성모를 저토록 젊게 표현했을까를 생각하다가 문득 정신적인 불멸의 존재로 어머니를 표현한 것이라는 생각이 들었습니다. 그리고 거기서 그녀는 소설의 주인공인 어머니를 부탁할 자리를 찾게 되었습니다.

저는 작가의 이야기를 들으면서 예수님이 당신의 어머니 마리아를 사랑하는 제자 요한에게 부탁하시는 모습이 자꾸만 떠올랐습니다. 그분은 어머니의 장래가 어떻게 될 것인지, 제자 중에 누가 가장 오래 살 것인지를 모두 알고 계셨습니다. 그래서 감성과 인정이 풍부하고 제일 장수할 제자 요한에게 당신의 어머니 마리아를 부탁하신 것입니다. 그러고 보면 우리의 어머니, 아버지, 더 나아가 우리 가정 전체의 미래를 부탁할 수 있는 가장 완벽한 분은 예수 그리스도뿐입니다. 세상의 구주가 바로 우리 가정의 구주가 되시는 것입니다.

우리는 예수님을 우리 집의 주인으로 모시고, 우리의 가정을 하나의 작은 교회로 만들어야 합니다. 그 길만이 우리 가정을 살리고 병든 사회를 치유하는 유일한 희망입니다. 우리 가정을 하나님 나라의 사역장, 곧 작은 가정 교회로 주께 드리는 놀라운 결단이 우리 가운데 일어나기를 기도합니다.

"제 구 시 기도 시간에 베드로와 요한이 성전에 올라갈새 나면서 못 걷게 된 이를 사람들이 메고 오니 이는 성전에 들어가는 사람들에게 구걸하기 위하여 날마다 미문이라는 성전 문에 두는 자라 그가 베드로와 요한이 성전에 들어가려 함을 보고 구걸하거늘 베드로가 요한과 더불어 주목하여 이르되 우리를 보라 하니 그가 그들에게서 무엇을 얻을까 하여 바라보거늘 베드로가 이르되 은과 금은 내게 없거니와 내게 있는 이것을 네게 주노니 나사렛 예수 그리스도의 이름으로 일어나 걸으라 하고 오른손을 잡아 일으키니 발과 발목이 곧 힘을 얻고 뛰어 서서 걸으며 그들과 함께 성전으로 들어가면서 걷기도 하고 뛰기도 하며 하나님을 찬송하니 모든 백성이 그 걷는 것과 하나님을 찬송함을 보고 그가 본래 성전 미문에 앉아 구걸하던 사람인 줄 알고 그에게 일어난 일로 인하여 심히 놀랍게 여기며 놀라니라"(행 3:1-10).

4

은과 금을 초월한
진짜 부자가 되라

복음은 무엇과도 바꿀 수 없는
진짜 보물이다

신앙의 경계선상에 놓인 사람들

상담실을 찾은 한 사람이 자신의 정신 상태에 대해 말했습니다.

"저는 제가 무엇을 하고 싶은지 모르겠습니다. 무엇을 갖고 싶은지도 모르겠습니다. 아니, 저는 제가 누구인지도 모르겠습니다. 어떻게 살아야 하는지도 모르겠습니다. 저는 혼자 있는 것을 견디지 못합니다. 저는 끊임없이 애정의 대상을 찾아 방황합니다. 그러고는 그런 대상에게 버림을 당하지 않을까 늘 두려워합니다. 저의 대인관계는 성난 파도처럼 요동치며, 어디로 튈지 모르는 공처럼 예측하기가 어렵습니다. 때때로 저는 돈을 물 쓰듯 써 버리고 이내 그것을 후회하곤 합니다. 저는 돈을 모으지 못합니다. 저는 정서적으로 늘 불안합니다. 이런 불안이 심해지면 자살 충동을 느끼는 때도 종종 있습니다. 그래서 저는 늘 누군가를 의지하지 못하면 삶을 이어 가지 못하는 대인 의존적인 삶을 살아갑니다.”

정신 의학에서는 이런 증상을 가리켜 '경계선 성격 장애'(borderline personality disorder)라고 부릅니다. 우리 중에 약 2-3퍼센트가 이런 증상을 심하게 경험하여 상담가나 의사를 찾지만, 사실 적지 않은 사람이 이런 비슷한 징후를 느끼며 살아가고 있다고 합니다. 병명이 매우 특별하지 않습니까? '경계선 성격 장애!' 본래는 신경증과 정신병의 경계선에 위치한다는 뜻에서 유래한 말이라고 합니다.

그러나 잠시 생각해 보면 누구나 이러지도 저러지도 못하는 상황에 처하고, 자신을 알 것 같기도 하면서 잘 모르겠고, 이웃에게 다가서지도 못하고 멀리하지도 못하는 소위 경계선상의 불안을 느끼는 삶을 살고 있습니다. 교회에 나오면서도 제대로 신앙생활을 하지 않고, 그렇다고 교회의 필요성을 부인하는 것도 아닌 경계선상의 교인이 적지 않습니다.

본문에 바로 이런 사람의 이야기가 소개되고 있습니다. 그는 가난한 사람이어서 구걸로 생존을 이어 가고 있었습니다. 스스로 일어서지 못하는, 장애를 갖고 인생을 사는 사람이었습니다. 그는 친구들의 도움으로 날마다 성전 '미문'에 출근하여 구걸했습니다. 그는 늘 성전 가까이 있었고 성전을 사모하기도 했지만, 성전에는 들어가지 못하고 다만 성전에 드나드는 사람들의 자선에 의지해 생

존을 이어 가고 있었습니다. 그러면서도 입만 열면 성전에 출입하
는 사람들의 인색함과 이중성을 비판했을지 모릅니다.

그렇다면 이 사람이야말로 성전 안과 성전 밖의 경계선에서 줄타
기를 하는 인생이 아닙니까? 이렇게 교회 가까이 있으면서, 신앙의
도움을 은근히 사모하면서도 입만 열면 늘 교회를 비판하는 사람
이 바로 '경계선상의 이웃'이라고 할 수 있습니다. 이런 경계선상의
이웃을 돕기 위해서는 어떻게 해야 할까요?

이웃과 눈을 맞추라

사도행전 3장 4절을 보면, 베드로가 요한과 더불어 성전 미문에 있
는 나면서 못 걷게 된 이를 주목했다고 했습니다. 그는 날마다 친구
들의 도움을 빌려 성전 미문을 찾았고, 베드로와 요한도 자주 그를
목격했을 것입니다. 그러나 한 번도 그에게 눈길을 주지 않다가,
어느 날 그를 특별한 마음으로 주목해서 보게 된 것입니다. 그것
이 바로 기적의 시작이었습니다. 여기서 '주목하다'라는 말은 희랍
어로 '아테니조'(atenizo)라 하는데, 이는 '의도적으로 집중하여 바라
봄'이라는 뜻입니다. KJV 성경에는 'fastening[fixing] his eyes upon'
이라고 표현되어 있습니다. 요즘 우리말로는 '눈 맞추기'입니다.

한국 사람들이 제일 못 하는 것 중의 하나가 '눈 맞추기'입니다.
평생을 함께 사는 부부끼리도 눈을 맞추라고 하면 잘 못합니다. 그

런데 부부 생활에서 눈 맞춤은 입맞춤보다 더 중요합니다. 눈은 입보다 더 많은 메시지를 전달하기 때문입니다. 한국인이 눈 맞춤을 못 하는 이유는 그것의 중요성을 몰라서가 아닙니다. 문제는 훈련이 되어 있지 않기 때문입니다. 특히 우리말에는 눈 맞춤과 관련된 부정적인 의미의 단어가 많습니다. 예를 들면, 노려보기, 째려보기, 두리번거리기, 곁눈질하기, 눈 부라리기, 눈 치켜뜨기, 눈 내리깔기, 깔보기, 한눈팔기, 사팔뜨기, 먼 산 보기, 도끼눈 뜨기 등 못된 시선, 잘못된 시선을 뜻하는 언어가 많습니다.

미국의 사회심리학자인 앨버트 메러비언(Albert Mehrabian)은 '메러비언 법칙'에 대해 말했습니다. 이 법칙에 의하면, 우리가 어떤 사람을 처음 만났을 때의 첫인상이 7초 안에 결정된다고 합니다. 그 첫인상의 결정 요인으로는 대화 내용이 7퍼센트, 청각이 38퍼센트, 몸의 언어가 55퍼센트라고 합니다. 그런데 몸의 언어 중 제일 중요한 것이 바로 눈의 언어입니다.

다른 커뮤니케이션 연구가는 소위 '5관에 의한 지각 정도'를 연구했습니다. 상대가 보내는 정보의 인상이 5관을 통해서 우리에게 얼마나 전달되느냐는 것입니다. 그 결과 머리로 11퍼센트, 손놀림으로 3퍼센트, 입으로 2퍼센트, 코로 1퍼센트가 전달되는데, 눈으로는 자그마치 83퍼센트가 전달된다고 합니다. 다시 말해, 의사소통의 결정적인 부분은 시각에 의해 전달된다는 것입니다.

그래서 의사소통을 제대로 하려면 상대방을 사려 깊게 주목하는 연습이 필요합니다. 주목할 때 허공을 바라보는 것이 아니라 상대의 눈을 주목해야 합니다. 그것이 의사소통의 시작입니다. 그것이 바로 사랑의 시작입니다. 이웃을 제대로 한번 사랑하고 싶다면, 그 이웃을 응시하며 따뜻하고 진지한 시선으로 바라보십시오. 그때부터 이웃이 치유되고 변화되는 기적이 시작될 것입니다.

이웃과 기도를 나누라

우리가 신앙의 경계선상에 있는 이들을 섬기는 가장 효율적인 방법은 그들을 위해 기도해 주는 것입니다. 안 믿는 이웃들, 심지어 전도를 거부하는 이웃들도 기도해 준다고 하면 대부분 순순히 받아들입니다.

제가 한번은 비행기를 타고 가다가 옆 좌석에 앉은 분을 전도하려 했더니 불편해하며 화를 냈습니다. 과거에 교회에 다닌 적이 있었는데, 어떤 일로 상처를 받은 듯 보였습니다. 더 이상은 대화를 지속하기가 어렵다는 생각이 들어 그분에게 "그럼, 제가 기도해 드릴까요?"라고 했더니 갑자기 양처럼 순해지면서 "기도해 주세요"라고 하는 것입니다. 그래서 저는 그분의 어깨에 손을 올리고 기도를 시작했습니다. 그분은 어느새 어깨를 들썩이며 눈물을 흘리고는 공항에 도착해서 저에게 이렇게 말했습니다.

"저, 교회에 다시 나가겠습니다."

사도행전 3장 6절을 보면 베드로가 나면서부터 걷지 못하던 사람에게 "나사렛 예수 그리스도의 이름으로 일어나 걸으라"라고 말합니다. 저는 이것이 기도였다고 생각합니다. 중보 기도 사역의 장에서 통용되는 말을 빌리면 '명령 기도'(prayer of command)인 것입니다. 이웃들을 섬기며 전도하고 싶다면, 그를 위해 기도부터 하십시오. 우리가 기도하는 순간 성령의 사역이 시작됩니다.

미국의 대학 교수이자 전도자였던 토니 캠폴로(Tony Campolo)라는 분이 있습니다. 어느 날 그는 비행기를 타면서 '옆에 앉는 사람에게 전도할 기회를 주세요'라고 기도했다고 합니다. 그런데 잠시 후, 보기에도 위압적이고 덩치도 큰, 험상궂은 인상의 사람이 옆 좌석에 앉더랍니다. 그래서 속으로 '주님, 이 사람은 아니지요?'라고 물었는데, 하나님은 '내가 보낸 사람이 맞다'라고 하시는 것 같았습니다. 한 번 더 흘낏 옆 사람을 보니, 잘못 말을 걸었다가는 한 대 얻어맞을 것처럼 느껴졌습니다. 그래서 그는 일단 기도하며 마음을 가다듬었고, 조금씩 용기가 생겼습니다. '성령님, 제가 이 사람에게 기대어 보겠사오니 제 사랑의 마음이 전달되게 하소서'라고 기도하며 옆으로 몸을 기울이는데, 그와 몸이 부딪히고 말았습니다. 그러자 험악한 인상의 그가 이렇게 했습니다.

"당신, 혹시 나를 위해 기도하는 것 아니오?"

깜짝 놀란 캠폴로 교수가 그렇다고 하자, "기왕 날 위해 기도하려거든 소리를 내서 기도해 주시오"라고 말했습니다. 그것은 기도하는 동안 성령이 일하신 결과였습니다. 우리의 이웃들은 우리의 기도를 기다리고 있다는 사실을 알아야 합니다.

베드로와 요한은 성전에 기도하러 들어가는 중이었습니다.

"제 구 시 기도 시간에 베드로와 요한이 성전에 올라갈새"(행 3:1).

그러나 그날 그들은 성전 안에서뿐만 아니라 성전 밖 미문에서도 기도 사역이 필요하다는 것을 새삼스럽게 배웠을 것입니다. 그렇습니다. 우리의 이웃들도 지금 우리가 지나가는 삶의 마당에서 우리의 기도를 갈망하고 있습니다. 그들을 위해 기도를 시작하십시오. 그것이 바로 사랑의 시작이요, 기적의 시작입니다.

그리스도를 선물하라

사도 베드로는 나면서 못 걷게 된 그 걸인을 날마다 성전 미문에서 볼 수 있었습니다. 그러나 그냥 지나치고 싶은 사람이었을 것입니다. 그저 돈을 구걸하는 사람이라고 생각했기 때문입니다. 몇 번 정도는 적선할 수 있지만, 날마다 그렇게 하기는 힘들었을 것입니다.

그런데 그날만은 베드로의 마음이 성령 충만해져서 보통 때와는 다른 행동을 보입니다. 앉아서 구걸하는 그에게 적선이 아닌 그리스도를 소개하고 싶은 마음이 든 것입니다. 그가 필요로 하는 것이 단지 돈이 아니라 그리스도일지도 모른다는 생각을 하게 된 것입니다. 그래서 그를 향해 선포합니다.

"베드로가 이르되 은과 금은 내게 없거니와 내게 있는 이것을 네게 주노니 나사렛 예수 그리스도의 이름으로 일어나 걸으라 하고"(행 3:6).

그러자 평생을 걸을 수 없었던 그가 일어나 뛰며 하나님을 찬양하는 자가 되었습니다.

사실 교회가 세상을 향해 줄 수 있는 가장 위대한 선물은 예수 그리스도입니다. 그래서 복음 전도는 교회의 지상 명령인 것입니다. 요즘 우리 사회가 교회를 비판하니까 세상을 향한 교회의 유일한 책임이 사회 봉사인 것처럼 말하는 이들이 있습니다. 물론 교회는 이웃 사랑의 명령에 따라 물질로 사회를 섬기는 책임을 다해야 합니다. 그러나 분명한 것은, 사회 봉사는 교회가 아닌 다른 단체에서도 얼마든지 할 수 있는 일이라는 것입니다. 교회가 세상을 향해 할 수 있는 유일한 일은 복음을 전하는 것입니다. 이것은 양보할 수 없는 교회의 최우선적인 사명임을 결코 잊어서는 안 됩니다.

한때 자유주의 신학이 창궐하던 시절이 있었습니다. 그때는 교회가 복음 증거의 사명을 잊고 사회 봉사에만 열중했습니다. 그 결과가 어땠습니까? 회심자들이 사라진 교회들은 위축되기 시작했고, 교회는 전도도, 사회 봉사도 못 하는 영향력을 상실한 공동체가 되고 말았습니다. 우리는 나사렛 예수 그리스도의 구원의 이름을 증거하는 최우선적인 사명을 결코 놓쳐서는 안 됩니다.

한국 교회는 전도 안 하는 부자 교회가 되기보다는 차라리 전도 많이 하는 가난한 교회가 되어야 합니다. 중세 교회는 부자였으나 전도는 안 하는 교회였습니다. 어느 날, 교황이 신학자 토마스 아퀴나스(Thomas Aquinas)를 불러서 화려한 금으로 장식된 성당을 보여주며 "'은과 금은 내게 없거니와'라는 말은 이제 못 하겠군"이라고 말했습니다. 그러자 토마스 아퀴나스는 이렇게 대답했다고 합니다.

"그래서 이제 우리는 예수 그리스도의 이름으로 걸으라는 소리도 못 하게 되었습니다."

미국 텍사스의 한 교회 앞마당에서 유전이 발견된 일이 있었다고 합니다. 엄청난 유전 가치가 있는 그 마당을 어떻게 처분할 것인가를 의논하던 교회는 더 이상 교인들을 받지 않기로 했습니다. 유전 이익 배당금이 줄어들지 않게 하기 위해서였습니다. 결과적으로 그 교회는 망했고, 교인들은 불행해지고 말았습니다.

위대한 교회는 은과 금이 남아도는 교회가 아니라, 전도와 선교를 위해 모든 은과 금을 속히 처분하고 스스로 가난해지는 교회입니다. 다만 예수의 이름이 가득한 교회, 이것이 우리 한국 교회의 미래가 되어야 합니다. 예수의 이름이 오직 구원이요, 소망이며, 생명이기 때문입니다.

암울한 경제 위기 속에서도 우리가 예수의 이름을 붙들면 일어설 수 있습니다. 우리의 가정도, 우리의 사업체도 예수의 이름을 붙들면 재기할 수 있습니다. 주인 되신 주님께서 친히 주의 이름을 위해 사는 가정과 사업체와 공동체를 책임져 주실 것입니다. 이런 승리를 누리는 우리 모두가 되기를 소원합니다.

"사울은 그가 죽임당함을 마땅히 여기더라 그날에 예루살렘에 있는 교회에 큰 박해가 있어 사도 외에는 다 유대와 사마리아 모든 땅으로 흩어지니라 경건한 사람들이 스데반을 장사하고 위하여 크게 울더라 사울이 교회를 잔멸할새 각 집에 들어가 남녀를 끌어다가 옥에 넘기니라 그 흩어진 사람들이 두루 다니며 복음의 말씀을 전할새 빌립이 사마리아 성에 내려가 그리스도를 백성에게 전파하니 무리가 빌립의 말도 듣고 행하는 표적도 보고 한마음으로 그가 하는 말을 따르더라 많은 사람에게 붙었던 더러운 귀신들이 크게 소리를 지르며 나가고 또 많은 중풍 병자와 못 걷는 사람이 나으니 그 성에 큰 기쁨이 있더라"(행 8:1-8).

5

고난 중에
영웅이 태어난다

고난은 단단해지기 위한
연단의 시간이다

예고 없이 찾아오는 고난

꽤 오래전의 일입니다. 2003년 봄, 익산 신광교회의 부흥회를 다녀온 적이 있었습니다. 부흥회 중에 담임목사님의 안내로 그 교회의 안수집사인 김홍국 회장이 운영하는 국내 최대 축산업 공장인 하림 익산 공장을 방문하게 되었습니다.

김홍국 회장은 고등학교 3학년, 아직 미성년자였던 시절에 사업자 등록증을 걸고 사업을 시작했습니다. 그는 무엇보다 시시로 변하는 닭 값이 시세의 영향을 받지 않고 안정적인 기업이 되려면 생산 원가를 낮추어야 한다고 판단하여 사료를 직접 만드는 통합 경영을 생각했습니다. 그리하여 1986년 하림 식품을 출발시켜 하림은 농장과 공장 유통을 통합하게 되었습니다. 1997년 코스닥에 상장하고, 뒤이어 일일 생산 능력 200톤 규모의 육가공 신축 공장을 건립한 이후 지속적으로 성장하고 있다는 현장 브리핑을 들으며, 저는 그가 매우 의욕적이고 열정적인 기업가요, 사업가라는 인상을 받았습니다.

그런데 부흥회를 마치고 돌아온 지 두어 달도 되지 않아, 어느 날 신문에서 '하림 익산 공장에 대형화재'라는 기사를 보게 되었습니다. 거의 모든 방송 매체가 이 소식을 전하며 국내 닭고기 수급에 큰 차질이 있을 것이라는 보도를 앞다투어 전했습니다. 누전으로 연건평 3만 제곱미터의 내부 시설과 건물 9,171평이 전소했고, 직간접적인 손실 피해액은 무려 1,000억 원에 달한다는 소식이었습니다. 저는 너무 안쓰러운 마음이 들어 그 회사를 위해 기도한 후 로마서 8장 28절 말씀과 함께 기도 카드를 김 회장에게 보냈습니다.

"우리가 알거니와 하나님을 사랑하는 자 곧 그의 뜻대로 부르심을 입은 자들에게는 모든 것이 합력하여 선을 이루느니라."

이처럼 인생의 고난은 점진적으로 진행될 수도 있지만, 어느 날 갑자기 모든 것을 빼앗아 갈 수도 있습니다. 초대 교회도 마찬가지였습니다. 본문 말씀을 보면 오순절 이후 큰 부흥을 경험하던 예루살렘교회에 어느 날 갑자기 큰 박해 사건이 일어납니다.

"그날에 예루살렘에 있는 교회에 큰 박해가 있어 사도 외에는 다 유대와 사마리아 모든 땅으로 흩어지니라"(행 8:1).

그다음에 이런 말씀이 나옵니다.

"사울이 교회를 잔멸할새 각 집에 들어가 남녀를 끌어다가 옥에 넘기니라"(행 8:3).

문자 그대로 초대 교회 모든 성도에게 고난의 시간이 찾아왔습니다. 그렇다면 이렇게 느닷없이 찾아오는 고난의 의미는 도대체 무엇일까요?

고난은 하나님의 섭리를 실현하는 무대다

사도행전의 열쇠가 되는 구절은 "오직 성령이 너희에게 임하시면 너희가 권능을 받고 예루살렘과 온 유대와 사마리아와 땅끝까지 이르러 내 증인이 되리라 하시니라"(행 1:8)입니다. 이 말씀이 실현되려면, 주의 증인이 된 주의 백성이 예루살렘에서 온 유대와 사마리아와 땅끝으로 가야 합니다. 그런데 초대 교회 성도들은 아직 예루살렘에만 머물러 있었습니다. 그러다가 사도행전 7장을 보면 스데반의 순교 사건이 일어나고, 8장은 "사울은 그가 죽임당함을 마땅히 여기더라”라는 말씀으로 시작합니다. 결국 스데반이 죽어 장사되었고, 사람들은 그를 위해 크게 울었습니다. 그런데 그 사이에 다시 교회 전반으로 박해 사건이 확산된 것입니다.

“그날에 예루살렘에 있는 교회에 큰 박해가 있어 사도 외에는 다 유대와 사마리아 모든 땅으로 흩어지니라”(행 8:1)라는 말씀이 무슨 의미입니까? 박해가 터지니까 비로소 예루살렘교회를 지키기 위한 사도들을 제외하고 모든 주의 백성이 유대와 사마리아 땅으로 흩어져 간 것입니다. 박해 사건으로 오히려 유대와 사마리아에서 증인이 되라는 말씀을 실현하게 되었습니다. 고난이 하나님의 섭리를 실현하는 역설적 무대가 된 것입니다.

그러므로 어느 날 갑자기 고난이 우리의 삶의 마당을 찾는다면, 반드시 이 점을 기억하십시오. 고난에도 뜻이 있다는 사실을 말입니다. 고난은 하나님의 섭리를 실현하는 무대라고 했습니다. 하나님을 사랑하는 자, 곧 그분의 뜻대로 부르심을 입은 자들에게는 모든 것이 합력하여 선을 이룹니다. 그리고 다음 말씀을 기억하십시오.

“사랑하는 자들아 너희를 연단하려고 오는 불 시험을 이상한 일 당하는 것같이 이상히 여기지 말고 오히려 너희가 그리스도의 고난에 참여하는 것으로 즐거워하라 이는 그의 영광을 나타내실 때에 너희로 즐거워하고 기뻐하게 하려 함이라”(벧전 4:12-13).

우리는 고난을 기뻐해야 합니다. 감정적으로 힘들거든 의지적으로라도 그렇게 노력해야 합니다. 고난은 하나님의 섭리를 실현하는 무대이기 때문입니다.

고난은 새 시대 영웅의 모태다

고난은 언제나 영웅을 출현시킵니다. 고난 속에서 미래의 리더가 준비되고 태어나는 것입니다. 이 시점에서 태어난 영웅이 누구입니까? 바로 바울입니다. 그는 스데반의 순교를 마땅하다고 여기던 사람이었습니다. 교회를 잔멸하기 위해 각 집에 들어가 남녀를 끌어내어 옥에 넘긴 박해자 바울을 하나님께서 주목하신 것입니다. 그리고 그를 회심시켜 이방인의 사도로 삼으셨습니다(행 9장 참조).

이 사건을 통해서 하나님은 인생을 향한 엄청난 은혜와 긍휼을 보이십니다. 박해자를 오히려 증인으로 삼으시는 은혜와 긍휼 말입니다. 이에 대한 바울의 고백을 들어 보십시오.

"내가 전에는 비방자요 박해자요 폭행자였으나 도리어 긍휼을 입은 것은 내가 믿지 아니할 때에 알지 못하고 행하였음이라 우리 주의 은혜가 그리스도 예수 안에 있는 믿음과 사랑과 함께 넘치도록 풍성하였도다"(딤전 1:13-14).

그러나 이 고난의 무대는 바울이라는 한 사람의 증인만을 영웅으로 준비한 것은 아니었습니다. 이제 초대 교회의 모든 성도가 함께 영웅적 증인으로 준비되는 모습을 볼 수 있습니다.

"그 흩어진 사람들이 두루 다니며 복음의 말씀을 전할새"(행 8:4).

박해를 피해 흩어졌던 그들이 모두 복음의 증인으로 다시 태어났습니다. 인생이 성공 가도를 달릴 때 전도를 외면했던 이들이 고난의 계절에 복음의 증인으로 다시 태어난 것입니다. 여기서 '흩어지다'라는 말은 본래 '씨를 뿌리다'라는 의미입니다. 그들은 흩어져 복음의 씨를 뿌린 것입니다. 박해가 오히려 복음의 확산을 도운 셈이 되었습니다. 이래서 고난이 필요한 것입니다.

고난은 연단입니다. 주의 백성을 전도자요, 증인으로 훈련하기 위한 연단인 것입니다. 쇠붙이는 불속에 들어가 연단되지 않고는 농부의 도구가 될 수 없는 법입니다. 그래서 사도 베드로도 그리스도인의 고난을 '너희를 연단하는 불 시험'이라고 했고, 고난이 아프고 힘들더라도 기뻐하라고 한 것입니다.

삶에 고난이 찾아왔습니까? 그렇다면 이제 강해질 시간입니다. 영웅 탄생의 시간이 된 것입니다. 스페인 격언에 "노래를 만드는 것은 계곡의 거친 물살을 담는 것이다"라는 말이 있습니다. 조용히 흘러가는 물에서는 열정과 리듬이 담긴 노래가 태어나지 않습니다. 계곡의 거친 물살 그리고 바다의 태풍이 위대한 심포니를 만드는 것입니다. 고난이 오고 있습니까? 그렇다면 하나님 나라의 영웅으로 데뷔할 시간입니다.

고난은 새 시대의 부흥 마당이다

복음을 들고 유대와 사마리아 땅으로 흩어진 백성의 결과는 무엇이었습니까? 본문 5절을 보면 또 한 명의 초대 교회 영웅인 빌립이 등장합니다. 본래 예루살렘교회의 일곱 집사 중 한 사람이었던 그는 사마리아 복음화의 중심에 서게 됩니다. 그가 사마리아성에 내려가 복음을 증거하자, 그를 통해 여러 표적이 일어납니다. 7절을 보면 더러운 귀신들이 나가고 중풍 병자가 일어나 걷습니다. 그러자 그 성에 큰 기쁨이 생깁니다(행 8:8 참조). 복음이 큰 기쁨의 메시지, 소망의 메시지로 사람들에게 임한 것입니다. 다시 말해, 부흥이 일어났다는 말입니다.

> "빌립이 하나님 나라와 및 예수 그리스도의 이름에 관하여 전도함을 그들이 믿고 남녀가 다 세례[침례]를 받으니"(행 8:12).

이것이 바로 부흥입니다. 드디어 하나님 나라가 유대와 사마리아에 임한 것입니다. 고난의 무대가 새 시대의 부흥 마당이 된 것입니다. 그리스도인의 고난은 언제나 고난 건너편에서 놀라운 부흥 마당을 준비한다는 것을 잊지 마십시오.

지난 2008년, 저는 5년 만에 다시 익산 신광교회의 초청을 받아 부흥회를 인도했습니다. 그리고 김홍국 회장의 초청으로 불이 났던 익산 공장 현장을 방문하고 공장 식당에서 점심을 함께했습니다. 그런데 오랜만에 만난 김 회장의 인상은 처음과는 매우 달라 보였습니다. 예전에 안수집사였던 그는 장로가 되었고, 처음에는 자신만만했던 사업가의 느낌이 강했는데, 이제는 겸손한 주의 청지기로 다가왔습니다. 그는 〈국민일보〉(2008년 11월 6일) 인터뷰에서 그때의 화재 사건을 이렇게 회고했습니다.

"당시 재산이 날아간 것보다는 과거의 여러 가지 일에 대한 생각이 스치면서 눈물이 쏟아지더군요. 모든 게 하나님의 섭리와 역사라는 생각이 들었어요. 그 전에는 웬만한 일을 당해도 눈물이 없었는데, 회개의 눈물이라고 할까요. 대책회의를 마치고 직원들 안 보는 데서 실컷 울었지요."

그다음으로 이어지는 기사 내용은 이렇습니다.

모태신앙이지만 교회를 건성으로 다니던 그에게 공장 화재는 영적인 눈이 열리는 계기가 됐다. 그는 "불이 난 이후 화학적인 변화가 생겼다"고 말했다. 성경을 읽다보면 그 다음 장이 궁금해지고, 길고 지루하게 느껴지던 설교가 기다려졌다는 것이다.

결국 그는 새벽기도 등을 통해 어려움이 축복의 통로이며, 하나님의 말씀 안에서 살면 고민할 게 없다는 생각에 이르게 된다.

그는 공장 화재 3개월 후 자신이 섬기던 익산 신광교회 건물을 다시 짓는 사역에 건축 위원장으로 헌신하게 되었습니다. 보통 사람 같으면 회사 사태 수습에 여념이 없었겠지만, 어쩐지 하나님 나라의 일에 헌신해야겠다는 감동을 느끼게 되었던 것입니다. 교회가 문화적으로도 탁월해야 안 믿는 이들을 전도할 수 있겠다는 생각으로 땅값을 빼고 5년 동안 450억 원의 예산을 투입해 아름답고 효율적인 예배당 건물을 완성하여 주께 드렸습니다.

그가 새 예배당 건물을 짓는 동안 회사는 어떻게 되었을까요? 닭, 오리, 돼지고기 사료 부문에서 국내 점유율 1위로 다시 떠올랐고, 3,618억 원의 매출을 올리게 됐습니다. 25개 계열사 중 양돈 업체인 선진은 2,648억 원, 농수산홈쇼핑은 2,108억 원, 제일사료·제일곡산·천하제일사료는 3,063억 원, 역시 양돈 업체인 대상 팜스코는 3,537억 원의 매출을 올리게 되었습니다. 그는 인터뷰에서 이렇게 고백했습니다.

"성경을 보면 아브라함과 야곱, 이삭 모두 고생을 했습니다. 그러나 하나님 말씀 안에서 살면 고생도 축복이고 행복이란 것을 알게 됐습니다. 인간적으로 볼 때는 고생이지만 하나님 관점에서는 축복이란 걸 깨닫게 되자 계속 도전하고 모험하는 것이 두렵지 않게 되더군요."

우리가 함께 점심 식사를 하던 익산 하림 공장 식당 벽에는 찬송
가 가사의 일부를 서예로 쓴 액자가 걸려 있었습니다.
"이 풍랑으로 인하여 더 빨리 갑니다."
이것은 〈고요한 바다로〉(새찬송가 373장) 중의 한 대목이었습니다.

(1절)

고요한 바다로 저 천국 향할 때

주 내게 순풍 주시니 참 감사합니다

(2절)

큰 물결 일어나 나 쉬지 못하나

이 풍랑으로 인하여 더 빨리 갑니다

(3절)

내 걱정 근심을 쉬 없게 하시고

내 주여 어둔 영혼을 곧 밝게 하소서

(4절)

이 세상 고락 간 주 뜻을 본받고

내 몸이 의지 없을 때 큰 믿음 주소서

김홍국 회장은 화재 사건이 일어난 그 을씨년스러운 현장에서 이 찬송을 부르며 기도하고 헌신하면서 재기했다고 고백합니다. 고난이 그의 인생의 새 시대를 열었고, 오히려 더 큰 인생의 부흥을 체험하게 만든 것입니다.

고난은 새 시대의 부흥 마당이 됩니다. 우리는 오늘의 고난을 두려워하지 말고 인생의 주요, 역사의 주이신 예수님을 우리 인생의 주로 모시며 하나님 나라에 헌신할 것을 결심해야 합니다. 그러면 오늘의 고난은 내일의 부흥 마당이 될 것입니다.

"주의 사자가 빌립에게 말하여 이르되 일어나서 남쪽으로 향하여 예루살렘에서 가사로 내려가는 길까지 가라 하니 그 길은 광야라 일어나 가서 보니 에디오피아 사람 곧 에디오피아 여왕 간다게의 모든 국고를 맡은 관리인 내시가 예배하러 예루살렘에 왔다가 돌아가는데 수레를 타고 선지자 이사야의 글을 읽더라 성령이 빌립더러 이르시되 이 수레로 가까이 나아가라 하시거늘 빌립이 달려가서 선지자 이사야의 글 읽는 것을 듣고 말하되 읽는 것을 깨닫느냐 대답하되 지도해 주는 사람이 없으니 어찌 깨달을 수 있느냐 하고 빌립을 청하여 수레에 올라 같이 앉으라 하니라 읽는 성경 구절은 이것이니 일렀으되 그가 도살자에게로 가는 양과 같이 끌려갔고 털 깎는 자 앞에 있는 어린양이 조용함과 같이 그의 입을 열지 아니하였도다 그가 굴욕을 당했을 때 공정한 재판도 받지 못하였으니 누가 그의 세대를 말하리요 그의 생명이 땅에서 빼앗김이로다 하였거늘 그 내시가 빌립에게 말하되 청컨대 내가 묻노니 선지자가 이 말한 것이 누구를 가리킴이냐 자기를 가리킴이냐 타인을 가리킴이냐 빌립이 입을 열어 이 글에서 시작하여 예수를 가르쳐 복음을 전하니"(행 8:26-35).

6

복음은 재채기처럼
감출 수 없다

삶의 자리에서
생활 전도자로 살아가라

생활 전도자의 삶

예수께서 제자 베드로를 처음 부를 때 주신 말씀이 "나를 따라오라 내가 너희로 사람을 낚는 어부가 되게 하리라"(막 1:17)였습니다. 이 말씀이 사실이라면, 예수님을 정상적으로 따르는 모든 사람은 '사람을 낚는 어부', 곧 '전도자'가 되어야 할 것입니다. 그런데 실제로 교회에 신실하게 출석하고 있는 교인 중에 전도를 삶의 소명으로 생각하고 실천하며 사는 사람은 그리 많아 보이지 않습니다. 왜 그럴까요? 그 원인은 다양할 수 있지만, 대부분의 교인이 '전도자'라는 말을 비정상적이고 극단적인 개념으로 이해하고 있기 때문인지 모룹니다.

예를 들어, '전도자' 하면 서울역 앞 광장에서 혹은 전철에서 "예수 천당, 불신 지옥"이라고 외치는 이미지를 떠올립니다. 그래서 무의식적으로 '나처럼 정상적으로 사는 신사(숙녀)가 그런 비정상적인 일을 할 수는 없지 않은가' 하고 생각합니다. 혹은 빌리 그레이엄(Billy Graham) 목사처럼 수많은 사람 앞에서 설교하는 이미지를 떠올리며 '나는 그런 일을 할 수 있는 사람이 아니다'라고 미리부터 겁을 먹습니다.

그런데 실상 기독교의 복음 전도는 옛날이나 지금이나 특별하고 예외적인 전도자들을 통해서가 아닌, 자연스러운 삶의 현장에서 사람들에 대한 따뜻한 관심과 만남의 관계들을 통해 위대한 역사를 이루어 왔습니다. 그리고 이런 전도를 우리는 보통 '생활 전도'(life evangelism), 혹은 셀 교회 운동에서는 '오이코스 전도'(oikos evangelism), '관계 전도'(relational evangelism)라고 부릅니다. 그런 의미에서 우리는 모두 '생활 전도자'가 되어야 합니다.

처음 교회의 역사인 사도행전도 마찬가지였습니다. 이제 우리는 처음 교회가 복음 전도를 통해 하나님 나라의 비전을 확장해 가는 자연스러운 생활 전도 현장의 교훈을 살펴볼 것입니다.

본문에는 에디오피아 내시의 이야기가 기록되어 있습니다. 그는 에디오피아 여왕 간다게의 국고를 맡은 관리인 내시였습니다(행 8:27 참조). 지금으로 말하면 재무장관쯤 되는 사람입니다. 그가 예루살렘에 예배하러 왔다가 자기 나라로 다시 돌아가는 길이었습

니다. 그 길에서 빌립 집사와의 만남이 이루어지고, 그것이 자연스
럽게 전도의 열매를 맺은 것입니다.

그 역사가 이루어진 곳이 바로 가사(이스라엘과 팔레스타인의 최대 분
쟁 지역)로 내려가는 길이었습니다. 가사에서 조금만 더 남쪽으로
가면 이집트가 나오고 아프리카로 연결됩니다. 바로 이 길에서 빌
립 집사에 의한 위대한 생활 전도의 역사가 쓰이게 된 것입니다. 그
렇다면 우리도 빌립과 같이 열매 맺는 '생활 전도자'로 살기 위해서
는 무엇을 준비해야 할까요?

주의 영의 인도에 민감하라

사실 우리로 전도하게 하시는 분은 주님이고, 주님의 영인 성령입
니다. 우리가 전도하고 싶어 하는 갈망보다 더 큰 갈망으로 주님이
우리를 통해 전도의 열매를 맺고 싶어 하십니다. 만일 우리가 그분
의 인도에 민감할 수만 있다면, 우리는 모두 전도의 장으로 자연스
럽게 인도될 것입니다.

사실 빌립은 사마리아에서 전도하며 큰 부흥을 일으키고 있었습
니다. 그런데 갑자기 주께서 빌립을 가사로 가는 광야 길로 가라
고 말씀하신 것입니다. 만일 빌립이 주의 인도에 민감하지 않았다
면 할 수 없는 순종이었습니다. '내가 여기서 큰 부흥의 역사를 주
도하고 있는데 어떻게 이 모든 것을 내려놓고 광야로 갈 수 있단

말인가?'라는 생각이 잠시 들었을지도 모릅니다. 그러나 그는 순종합니다.

> "주의 사자가 빌립에게 말하여 이르되 일어나서 남쪽으로 향하여 예루살렘에서 가사로 내려가는 길까지 가라 하니 그 길은 광야라"(행 8:26).

그는 광야로 갑니다. 그리고 "성령이 빌립더러 이르시되 이 수레로 가까이 나아가라 하시거늘"(행 8:29)이라는 말씀에 순종해 에디오피아 내시가 타고 있던 수레(병거)에 가까이 다가갑니다. 이것이 바로 빌립의 민감성이었습니다. 주의 인도하심을 알아차리는 민감성 말입니다. 그는 주의 영의 인도하심에 민감했기에 전도의 장으로 인도되었고, 전도의 명령에 순종할 수 있었습니다.

사실 우리도 곁을 지나는 사람을 보면서 '예수님과 교회에 대해 한번 이야기해 볼까' 하는 생각을 해 본 적이 있을 것입니다. 그런데 그런 마음을 주의 음성, 성령의 음성이라고 생각해 본 적이 있습니까? 그저 생각에 그치고 실천하지 못했다면, 성령의 감동이 소멸되었기 때문입니다.

> "성령을 소멸하지 말며"(살전 5:19).

만일 이 시대의 그리스도인 모두가 좀 더 주의 영의 인도하심에 민감할 수 있다면, 아니 우리 모두가 성령으로 충만하다면 이 시대에 복음 전도의 위대한 부흥이 또 한 번 도래하리라 믿습니다. 그러므로 우리는 성령의 충만함을 구해야 합니다. 더 이상 성령의 감화, 성령의 감동을 소멸하지 마십시오. 전도해야겠다는 생각이 들면 곧장 기도를 시작하십시오. "주님, 제가 지금 이 사람에게 주님을 소개하기를 원하십니까? 그러면 이 사람의 마음을 준비시켜 주십시오"라고 기도한 후 행동으로 옮기십시오. 그것이 바로 전도의 시작이요, 부흥의 시작입니다.

담대하고 지혜로운 접촉을 준비하라

일반적으로 선교의 역사는 경제적으로 부유한 나라에서 가난한 나라로, 선진국에서 후진국을 향해 진행되어 왔습니다. 우리가 개인적으로 전도 대상을 선택할 때도 보통은 자신보다 나이가 어리거나 배우지 못한 사람, 자신보다 가난하거나 사회적 지위가 낮은 대상이 손쉽다고 생각하는 경향이 있습니다. 그러나 이것이 선교나 전도의 역사와 반드시 일치하는 것은 아닙니다.

초대 교회의 선교사들과 전도자들은 이스라엘에서 시작하여 이스라엘을 지배하는 로마로 나아가 전도했습니다. 본문 말씀만 보아도 평범한 교회 집사 빌립이 한 나라의 재무장관에게 전도를 시도하고 있지 않습니까? 아마 그때 빌립은 광야 길을 걷고 있거나,

말을 타고 가고 있었을 것입니다. 그런데 그가 지금 수레를 타고 가는 한 나라의 권력자인 장관에게 다가가 전도하고 있는 것입니다. 장관 주변에는 여러 하인이 함께 있었을 것입니다. 그렇다면 담대함이 필요했을 것입니다. 저는 이런 빌립의 담대함이 성령 충만의 결과였다고 믿습니다.

우리가 전도를 꺼리는 원인 중 하나는 자꾸 인간적인 조건을 생각하고 위축되기 때문입니다. 그런데 우리가 성령 충만하면 이런 위약한 마음이 사라지고 담대해집니다.

"빌기를 다하매 모인 곳이 진동하더니 무리가 다 성령이 충만하여 담대히 하나님의 말씀을 전하니라"(행 4:31).

그렇습니다. 초대 교회 사람들은 기도했고, 성령으로 충만했고, 그 결과 담대한 전도를 할 수 있었습니다. 여기서 담대함을 무례함으로 오해해서는 안 됩니다. 우리의 전도는 담대하면서도 지혜로운 접근이어야 합니다.

그동안 얼마나 많은 그리스도인이 무례함으로 복음의 영광을 가리었는지 생각해 보십시오. 우리는 빌립이 보여 주는 전도의 모범에 주목해야 합니다. 에디오피아 장관이 수레를 타고 가면서 이사야의 글, 곧 성경을 읽었습니다(행 8:28 참조). 그때 이미 성령께서 그에게 구도하는 마음을 준비하고 계셨던 것입니다. 그가 예루살렘에 예배하러 왔다가 돌아가는 길인 것만 보아도 유대교 신앙을 받아들인 사람인 것을 알 수 있습니다. 그러나 아직 그리스도인은 아니었습니다. 이때 빌립이 그에게 접근하며 대화를 열기 시작합니다.

"읽고 있는 것이 잘 이해가 되시나요?"

책을 읽고 있는 사람과의 가장 자연스러운 대화는 그 책의 주제에 관한 이야기일 것입니다. 이렇게 하여 빌립은 이사야가 예언한 메시아의 이야기로 자연스럽게 말을 시작하면서 복음을 전했습니다.

예수님은 제자들을 둘씩 짝지어 전도하라고 보내면서 일어날 상황에 대해서는 "두려워 말라"라고 말씀하셨습니다. 이어서 '뱀같이 지혜롭게' 전도할 것을 부탁하셨습니다. 담대함과 지혜를 동시에 주문하신 것입니다. 우리가 담대한데 지혜롭지 못하다면, 사람들은 우리의 무례함 때문에 마음의 문을 닫을 것입니다. 반대로 지혜로운데 담대함이 없다면, 우리는 전도를 생각만 하고 입도 열지 못하는 비겁자가 될 것입니다. 그래서 모든 시대의 그리스도인들은 담대함과 지혜로움으로 전도를 준비할 필요가 있습니다. 그리고 이런 담대함과 지혜 또한 성령 충만의 결과임을 잊지 말아야 합니다.

말씀으로 복음을 증언할 준비를 하라

"빌립이 입을 열어 이 글에서 시작하여 예수를 가르쳐 복음을 전하니"(행 8:35).

빌립은 에디오피아 장관이 읽고 있던 이사야의 말씀을 통해 우리를 위해 고난 받으신 예수 그리스도를 증언했습니다. 만일 빌립이 모든 종교 사이의 평화와 관용만을 강조하면서 공격적인 전도를 비판하는 종교 다원주의자였다면, 그는 여호와를 믿고 예루살렘까지 왕래하며 예배하는 에디오피아 장관에게 전도할 필요를 느끼지 못했을 것입니다.

기독교는 복음입니다. 기독교는 그리스도입니다. 우리를 죄에서 해방하고자 우리의 죄를 짊어지고 죽은 후에 우리의 새로운 삶을 위해 부활하신 예수 그리스도만이 세상의 유일한 희망입니다. 그분을 만날 때까지 사람들은 결코 죄의 문제에서 자유로울 수 없습니다. 그분을 만날 때까지 사람들은 진정한 죄 사함의 기쁨도, 구원의 기쁨도 누릴 수 없습니다. 그분을 만날 때까지 사람들은 결코 새로운 피조물이 될 수도, 새로운 인생을 살 수도 없습니다. 이것이 바로 기독교의 복음입니다. 그래서 우리는 복음을 전해야 합니다. 전도해야 합니다. 선교해야 합니다. 물론 전도나 선교의 방법이 좀 더 지혜로워질 필요는 있습니다. 그러나 우리는 전도나 선교를 포기해서는 안 됩니다. 그것은 우리의 존재 이유를 포기하는 것입니다.

문제는 우리가 복음을 전할 준비가 되어 있느냐는 것입니다. 전도의 방법은 다양할 수 있습니다. 그러나 우리는 적어도 기독교의 기본인 복음을 언제, 어디서, 누구를 만나도 설명할 수 있을 정도로 잘 준비되어 있어야 합니다. 전도 훈련을 받으십시오. 훈련을 통해 우리는 전도의 많은 열매를 맺는 생산적인 인생을 살 수 있게 됩니다.

하나님께서는 사마리아에서 큰 부흥을 일으키던 빌립을 가사로 가는 광야 길로 인도하셨습니다. 그 이유는 에디오피아 장관을 전도하기 위해서였습니다. 이처럼 하나님은 한 사람, 한 사람을 주목하고 인도하시는 분입니다. 그러나 여기서 더 나아가, 하나님 나라의 좀 더 크고 넓은 비전의 지평선을 바라보아야 합니다. 어떤 의미에서 이 에디오피아 장관은 신약 시대 최초의 아프리카 그리스도인이 된 것입니다. 빌립은 에디오피아 장관에게 세례(침례)를 베풀었고, 에디오피아 장관은 기쁜 마음으로 고국으로 돌아갔습니다. 그는 가슴에 품은 복음으로 백성을 전도했을 것입니다.

"둘이 물에서 올라올새 주의 영이 빌립을 이끌어 간지라 내시는 기쁘게 길을 가므로 그를 다시 보지 못하니라"(행 8:39).

그 당시 에디오피아는 현재의 수단 지역을 포함하는 매우 광대한 지역이었다고 합니다. 이 전도의 에피소드는 여기서 막을 내리지만, 에디오피아로 돌아간 한 사람을 통해 아프리카 복음화의 새 지평이 열리게 됨을 볼 수 있습니다.

"사울이 주의 제자들에 대하여 여전히 위협과 살기가 등등하여 대제사
장에게 가서 다메섹 여러 회당에 가져갈 공문을 청하니 이는 만일 그
도를 따르는 사람을 만나면 남녀를 막론하고 결박하여 예루살렘으로
잡아 오려 함이라 사울이 길을 가다가 다메섹에 가까이 이르더니 홀연
히 하늘로부터 빛이 그를 둘러 비추는지라 땅에 엎드러져 들으매 소리
가 있어 이르시되 사울아 사울아 네가 어찌하여 나를 박해하느냐 하시
거늘 대답하되 주여 누구시니이까 이르시되 나는 네가 박해하는 예수
라 너는 일어나 시내로 들어가라 네가 행할 것을 네게 이를 자가 있느
니라 하시니 같이 가던 사람들은 소리만 듣고 아무도 보지 못하여 말
을 못하고 서 있더라 사울이 땅에서 일어나 눈은 떴으나 아무것도 보
지 못하고 사람의 손에 끌려 다메섹으로 들어가서 사흘 동안 보지 못
하고 먹지도 마시지도 아니하니라"(행 9:1-9).

7

죄인도
증인이 될 수 있다

인생의 방향은
주님을 만날 때 결정된다

바울형 회심

모든 시대를 살아간 그리스도인 중에 가장 상징적이고 대표적인 그리스도인을 뽑는다면 저는 주저 없이 사도 바울을 천거할 것입니다. 그는 여러 면에서 그리스도인 됨을 보여 주는 인생을 살았습니다. 그러나 무엇보다도 그가 불신자였다가 신앙인이 되는 장면에서 그의 회심은 가장 대표적인 상징성을 갖습니다.

기독교 신학에서는 흔히 믿음이 없는 이들이 마음을 돌이켜 그리스도를 믿기로 결단하는 사건을 '회심'(conversion)이라고 일컫습니다. 그런데 그 회심은 '급진적 회심'과 '점진적 회심'의 두 가지 유형으로 나누어 볼 수 있습니다. 급진적 회심의 대표로는 바울을, 점진적 회심의 대표로는 바울의 제자인 디모데를 꼽습니다. 그러니까 우리 중에는 '바울형 회심'을 한 사람도 있고, '디모데형 회심'을 한 사람도 있다는 말입니다. 예수 믿는 집안에서 태어나 자라면서 어려서부터 점진적으로 예수를 구주로 믿고 받아들인 경우는 '디모데형'이라 할 수 있고, 어느 날 갑자기 어떤 사건을 계기로 심경의 변화가 일어나 믿게 된 경우는 '바울형 회심'이라 할 것입니다.

그러나 어느 날 갑자기 예수를 믿게 된 경우에도 그 체험이 모두 같지는 않습니다. 여러 다양한 사건과 경험을 바탕으로 회심 사건이 일어나는 것입니다. 본문에서도 의사 누가는 바울의 회심 사건을 말하면서 여러 가지로 다양하게 동반된 바울의 체험들을 열거합니다. 예를 들어, 하늘로부터 빛이 비췬 사건, 그가 땅에 엎드러지면서 들었던 음성, 동행한 사람들은 그 소리를 전혀 듣지 못한 일 그리고 그가 땅에서 일어나며 발견한 실명의 경험 등이 그것입니다. 그런데 과연 이런 체험들이 동일하게 있어야 참된 회심이라고 말할 수 있을까요?

바울의 회심 사건이 일어났던 곳은 예루살렘에서 북으로 240킬로미터나 떨어진, 현재 시리아의 수도인 다메섹으로 가는 길(예루살렘 옛 성의 다메섹 문을 나와 북상하는 길, 옛날에는 5-6일 소요되는 여행 거리)입니다. 그래서 흔히들 바울의 체험을 다메섹 체험이라고 일컫습니다. 지금도 시리아 다메섹을 방문하면 바울의 체험이 일어난 곳으로 추정되는 장소에 바울 회심 기념 교회가 서 있습니다.

그러면 바울의 다메섹 체험에서 그의 회심의 본질을 보여 주는 핵심 요소는 무엇일까요? 바울이 다메섹 도상에서 경험한 여러 초자연적 체험, 예컨대 빛과 소리, 실명 등일까요? 물론 이러한 현상들도 의미 있는 것이기는 하지만, 그 자체가 회심은 아닙니다. 회심의 본질은 따로 있습니다.

첫째는, 있는 모습 그대로 예수님께 나아오는 것입니다. 기독교 회심 사건의 본질은 예수님과의 만남입니다. 아무도 예수님을 만나지 않고 구원받은 사람, 곧 회심한 사람은 없습니다. 니고데모도 예수님을 만나고 회심했습니다. 사마리아 여인도 예수님을 만나고 회심했습니다. 삭개오도 예수님을 만나고 회심했습니다. 바울이 예수님을 만나기 전에는 예수가 박해의 대상이었습니다. 그런데 예수님이 바울을 먼저 찾아오셨습니다. 빛을 동반하고 오셨습니다. 그는 빛 가운데 엎드러져 한 소리를 들었습니다.

"사울아 사울아 네가 어찌하여 나를 박해하느냐 하시거늘 대답하되 주여 누구시니이까 이르시되 나는 네가 박해하는 예수라"(행 9:4-5).

사실 그가 박해한 자들은 예수님의 백성이지 예수님은 아니었습니다. 그러나 예수님은 그가 주의 백성을 박해한 것을 곧 당신을 박해한 것으로 간주하셨습니다.

"나는 네가 박해하는 예수라."

그 순간, 바울은 예수님을 만났습니다.

우리는 어떻게 예수님을 만날 수 있습니까? 둘 중 하나입니다. 바울처럼 예수님이 우리에게 오시든지, 아니면 우리가 예수님께로 나아가야 합니다.

성경에 가장 빈번하게 출현하는 초청의 단어는 '오라'입니다. 주님은 우리에게 "와 보라"(come and see), "내게로 오라"(come unto me), "오라"(come) 하며 초청하십니다.

> "아버지께서 내게 주시는 자는 다 내게로 올 것이요 내게 오는 자는 내가 결코 내쫓지 아니하리라"(요 6:37).

"주 예수님, 당신을 만나고 싶습니다. 저를 만나 주십시오"라고 기도해 보십시오. 구하면 주겠다고, 찾으면 찾게 하겠다고, 문을 두드리면 만나 주겠다고 약속한 주님이 만나 주실 것입니다.

영국 클래펌에 화가요, 작가인 샬럿 엘리엇(Charlotte Elliott)이라는 여인이 있었습니다. 20대부터 촉망을 받던 그녀가 30대가 되어 갑작스러운 병을 앓게 되면서 매사에 반항적인 여인이 되어 버렸습니다. 그녀의 오빠인 헨리 엘리엇(Henry Venn Elliott)은 이런 동생이 걱정돼 자신의 친구인 말란(César Malan) 목사를 집으로 초대했습니다. 말란이 신앙 이야기를 꺼내자 엘리엇은 "나 같은 사람이 어떻게 예수를 만날 수 있겠어요?" 하며 신경질적으로 말했습니다. 그때 말란은 단순히 "당신의 있는 모습 그대로 그분에게 오시오"(Just as you are)라고 전했습니다. 이 말이 화살처럼 가슴에 꽂힌 순간, 그

녀는 주님이 자신의 마음을 어루만지고 계심을 느꼈습니다. 그녀
는 무릎을 꿇고 예수님께 자신의 인생을 드렸습니다. 그것이 그녀
의 회심의 순간이었습니다. 그녀는 이 경험을 바탕으로 〈큰 죄에
빠진 날 위해〉(새찬송가 282장)를 작사했습니다.

(1절)

큰 죄에 빠진 날 위해 주 보혈 흘려 주시고
또 나를 오라 하시니 주께로 거저 갑니다

이 찬송의 원제목은 〈Just as I am〉으로, 빌리 그레이엄 목사는
전도 집회마다 이 찬송을 불러 수많은 사람을 주께 나아오게 했습
니다. 어떻게 예수님께 나아올 수 있습니까? 바로 '있는 모습 그대
로'입니다. 이것이 회심의 첫 단계입니다.

둘째, 회심의 절대적인 또 하나의 요소는 예수님을 주로 고백하는
것입니다. 오늘날 우리는 예수님을 구주와 주님으로 나누어 고백합
니다. 그러나 초대 교회에서는 예수의 구주와 주님 되심을 구별하
지 않고 그냥 '주'(Kyrios)로 불렀습니다. 우리를 구원하시는 분이 또
한 우리 삶의 주인이 되시기 때문입니다. 성경은 우리가 성령으로
말미암지 않고는 아무도 예수를 주로 고백할 수 없다고 했습니다.

"또 성령으로 아니하고는 누구든지 예수를 주시라 할 수 없느니
라"(고전 12:3).

바울은 거룩한 빛에 둘러싸여 땅에 엎드러져서 "주여, 누구시니이까?" 하고 물었습니다. 그 순간 이미 성령은 그의 마음을 만지고 계셨습니다. 바울은 그 즉시 자신이 만나고 있는 분이 인생의 주인이 되실 것을 직감했습니다. 그 후 바울의 전도에서 예수를 주로 부르는 의미 있는 변화가 일어납니다.

"누구든지 주의 이름을 부르는 자는 구원을 받으리라"(롬 10:13).

이 고백이 초대 그리스도인들의 삶에서는 정말 중요했습니다. 초대 교회 시절, 로마가 통치하는 모든 곳에서는 길에서 두 사람이 만났을 때 한 사람이 먼저 "가이사가 주님이십니다"라는 말로 인사를 건네면, 상대방은 "맞습니다. 나의 주님은 가이사이십니다"라고 대답했습니다. 그런데 신실한 그리스도인들은 이런 인사에 다르게 반응했습니다. 상대방이 "가이사가 주님이십니다"라고 인사를 건네면, "아닙니다. 나의 주님은 오직 예수 그리스도이십니다"라고 인사를 한 것입니다. 이러한 인사와 고백 때문에 그리스도인들은 자주 고발되어 체포되고 원형 경기장으로 끌려가 고초를 당했습니다. 오늘을 사는 우리 역시 예수님을 우리 삶의 참 주인으로 모셔야 할 것입니다.

셋째, 회심의 본질은 변화된 삶을 살게 되는 것입니다. 예수님을 주로 고백하게 된 바울이 그다음으로 보인 반응은 무엇이었습니까? 사도 바울이 자신의 회심 사건을 사도행전 22장에서 다시 증언하고 있는 고백을 살펴보겠습니다.

"나와 함께 있는 사람들이 빛은 보면서도 나에게 말씀하시는 이의 소리는 듣지 못하더라 내가 이르되 주님 무엇을 하리이까"(행 22:9-10).

진실하게 예수를 주로 받아들인 모든 이에게 반드시 있어야 할 질문이 바로 이것입니다.

"주님, 이제 무엇을 하면 좋겠습니까?"

바꾸어 말하면, "주님, 이제부터 변화된 삶을 어떻게 살면 좋겠습니까?"입니다. 이 질문이 없이는 진정한 회심이라 할 수 없습니다. 정말 우리 인생의 주인이 달라졌다면, 변화는 피할 수 없는 결과입니다. 예수님을 만나 주로 고백하게 된 바울의 변화를 한 성경학자는 세 가지로 요약하고 있습니다.

첫째, 그는 그리스도인들을 붙잡으러 왔다가 그리스도에게 붙잡힌 삶을 살게 되었다.

둘째, 그는 예수가 메시아(그리스도)라는 메시지를 제거하러 왔다가 예수가 메시아(그리스도)임을 증거하는 메신저가 되었다.

셋째, 그는 그리스도인들을 박해하는 자였다가 그리스도인들과 함께 박해받는 자가 되었다.

이 얼마나 분명하고 확실한 변화입니까? 바울 한 사람을 통해 복음이 시리아로, 소아시아(튀르키예)로, 로마로 전해지게 된 것입니다. 과연 사도 바울은 다음과 같은 고백을 하기에 합당한 사람입니다.

“그런즉 누구든지 그리스도 안에 있으면 새로운 피조물이라 이전 것은 지나갔으니 보라 새것이 되었도다”(고후 5:17).

이것이 바로 회심의 마지막 요소입니다. 예수를 참으로 만나 그분을 주로 고백하는 자가 되었다면 이제 변화의 흔적, 변화의 열매가 있어야 합니다. 삶의 주인이 바뀌었는데 인생이 바뀌지 않는다는 것은 말이 되지 않습니다. 우리가 만일 예수를 만나고 예수를 주로 고백하고도 삶에 변화가 없다면, 회심의 진정성을 의심할 필요가 있습니다. 진정한 회심은 우리의 인생관과 세계관의 변화를 초래합니다. 주인이 바뀌었는데 어떻게 옛날 방법, 옛날 모습 그대로 삶의 스타일을 유지할 수 있겠습니까? 회심이 한순간 사람을 성자로 만드는 것은 아닐지라도, 우리의 전 인생의 방향을 바꾸는 의미 있는 변화의 시작인 것은 틀림없는 사실입니다.

미국에서 목사의 아들로 태어난 한 젊은이가 있었습니다. 그는 어린 시절 신앙의 영향을 받으며 자랐지만, 브라운대학에 다니던 중 무신론자 친구의 영향을 받아 이신론자(사실상 무신론자)가 되었습니다. 4년 과정의 대학을 3년 만에 졸업한 그는 여행을 떠나던 중 시골 여인숙에 머물게 되었는데, 그날 밤 옆방에서 들려오는 신음 소리 때문에 잠을 이루지 못했습니다. 다음 날 아침, 옆방 사람이 세상을 떠났다는 소식을 듣고 깜짝 놀랐는데, 더욱 충격적인 사실은 그 사람이 바로 대학 시절 자신을 하나님으로부터 멀어지게 했던 친구였다는 것입니다. 이 일로 큰 충격을 받은 그는 죽음과 인생의 실존적인 문제를 깊이 고민하게 되었고, 결국 어린 시절 사모하던 예수님께 돌아가기로 결심합니다. 그리고 회심한 그는 바울처럼 즉시 기도를 시작하며 새로운 삶을 향해 나아갑니다.

"주님, 이제부터 어떻게 살아야 할까요?"

분명한 것은 더 이상 어제처럼 살아갈 수는 없다는 것이었습니다. 죽음의 문제를 해결할 수 있는 것은 복음밖에 없기에, 그는 아직 한 번도 복음을 듣지 못한 사람들에게 이 복음을 전하기로 결심합니다. 그리하여 신학을 공부한 후, 결혼하자마자 아내와 함께 아시아로 떠납니다. 그는 바로 미국이 버마(미얀마)로 파송한 최초의 침례교 선교사, 아도니람 저드슨(Adoniram Judson)입니다. 그가 죽을 당시, 단 한 명의 그리스도인도 없었던 버마에는 21만 명의 그리스도인이 생겨났습니다. 한 사람의 회심이 가져온 놀라운 변화였습니다. 이렇듯 한 사람이 변하면 한 가족이, 한 공동체가, 나아가 한 민족이 변화될 수 있습니다. 그래서 주님은 오늘도 우리에게 말씀하십니다.

"오직 성령이 너희에게 임하시면 너희가 권능을 받고 예루살렘과 온 유대와 사마리아와 땅끝까지 이르러 내 증인이 되리라"(행 1:8).

–

"그때에 다메섹에 아나니아라 하는 제자가 있더니 주께서 환상 중에 불러 이르시되 아나니아야 하시거늘 대답하되 주여 내가 여기 있나이다 하니 주께서 이르시되 일어나 직가라 하는 거리로 가서 유다의 집에서 다소 사람 사울이라 하는 사람을 찾으라 그가 기도하는 중이니라 그가 아나니아라 하는 사람이 들어와서 자기에게 안수하여 다시 보게 하는 것을 보았느니라 하시거늘 아나니아가 대답하되 주여 이 사람에 대하여 내가 여러 사람에게 듣사온즉 그가 예루살렘에서 주의 성도에게 적지 않은 해를 끼쳤다 하더니 여기서도 주의 이름을 부르는 모든 사람을 결박할 권한을 대제사장들에게서 받았나이다 하거늘 주께서 이르시되 가라 이 사람은 내 이름을 이방인과 임금들과 이스라엘 자손들에게 전하기 위하여 택한 나의 그릇이라 그가 내 이름을 위하여 얼마나 고난을 받아야 할 것을 내가 그에게 보이리라 하시니 아나니아가 떠나 그 집에 들어가서 그에게 안수하여 이르되 형제 사울아 주 곧 네가 오는 길에서 나타나셨던 예수께서 나를 보내어 너로 다시 보게 하시고 성령으로 충만하게 하신다 하니 즉시 사울의 눈에서 비늘 같은 것이 벗어져 다시 보게 된지라 일어나 세례[침례]를 받고 음식을 먹으매 강건하여지니라 사울이 다메섹에 있는 제자들과 함께 며칠 있을새"(행 9:10-19).

8

인생은 굽이져도
믿음은 곧은 길이다

하나님 나라는
만남을 통해 확장된다

거룩한 희생

이충렬 감독의 다큐멘터리 영화 〈워낭소리〉가 온 국민의 눈과 귀를 사로잡으며 신드롬을 일으킨 적이 있었습니다. 많은 돈을 들이지도 않았고, 큰 기대를 갖지도 않았던 이 영화가 대박을 터뜨린 이유에 대해 곰곰이 생각해 보았습니다. 유명한 인기 배우 하나 없이 여든이 된 등이 굽은 노부부와 마흔 살이 된 소 한 마리가 출연 배우의 전부인 이 영화가 어떻게 전 국민의 마음을 사로잡을 수 있었는지, 그 비밀이 궁금했던 것입니다. 아마도 그 이유는, 농부의 투박하고 거친 손 그리고 절룩거리는 다리로 생존을 이어 가는 치열한 모습 속에서 우리 부모 세대의 거룩한 희생을 발견하게 되었기 때문이 아닌가 생각해 봅니다.

팔순의 노부부가 소 한 마리에 의지해 살아 가는 유일한 목적은 자식들의 교육이었습니다. 오직 자식만을 생각하며 소 꼴을 뜯고, 쇠죽을 끓이고, 소를 먹이기 위해 힘든 줄도 모르고 동네 산을 오르내렸던 것입니다. 이러한 노부부의 모습에서 그리고 이제 그 생명을 다해 가는 비틀거리는 충직한 소의 모습에서 우리는 부모 세대의 거룩한 희생의 가치를 다시 떠올릴 수 있었습니다. 그 희생 덕분에 오늘의 한국이 있게 된 것입니다.

결국 내일의 한국의 모습은 우리가 다음 세대의 리더십을 어떻게 길러 내느냐에 달려 있습니다. 중국 선교의 개척자인 허드슨 테일러(James Hudson Taylor)는 "하나님의 방법은 사람이다"라는 유명한 말을 남겼습니다. 예수님의 하나님 나라 운동도 열두 제자, 곧 하나님의 사람을 부르고 세우는 일로 시작되었습니다. 우리나라에도 "인사가 만사다"라는 말이 있습니다. 사람 없이 될 수 있는 일은 아무것도 없다는 의미입니다. 우리 민족이 일제의 식민지 통치를 벗어날 수 있었던 것은 민족의 내일을 걱정하고 조국의 자유를 위해 일어선 애국자들이 있었기 때문입니다. 과거 6.25 전쟁의 잿더미에서 우리 민족이 다시 일어설 수 있었던 것도 우리 부모들이 논과 소를 팔아 자녀들의 미래를 위해 희생했기 때문입니다.

본문 말씀을 보면 하나님의 섭리적 인도로 아나니아라는 사람이 방금 회심한 젊은 바울을 축복하고 기도하여 그를 하나님의 사람으로 세우는 광경이 나옵니다. 그렇다면 과연 우리는 어떻게 하나님의 사람을 세우는 통로의 역할을 잘 감당할 수 있을까요? 또 하나님의 사람을 세우는 비밀은 무엇일까요?

주님의 인도하심을 경험하라

우선 하나님의 사람을 세우는 것이 하나님의 일임을 기억해야 합니다. 만일 우리가 기꺼이 하나님의 인도하심을 소원한다면, 그 일에 하나님의 간섭이 있을 것입니다. 예수를 주님으로 만난 바울은 이미 다메섹 도상의 회심의 순간에 "내가 무엇을 하리이까?"라고 묻습니다. 바울의 기도가 시작되는 순간입니다.

눈이 먼 바울은 유다라는 사람의 집에서 기도를 계속하고 있었습니다. 이런 바울의 새 인생을 인도하기 위해 하나님은 아나니아라는 제자를 부르십니다.

> "그때에 다메섹에 아나니아라 하는 제자가 있더니 주께서 환상 중에 불러 이르시되 아나니아야 하시거늘 대답하되 주여 내가 여기 있나이다 하니"(행 9:10).

아나니아는 주님의 명령에 따라 바울을 만나러 갑니다.

"주께서 이르시되 일어나 직가라 하는 거리로 가서 유다의 집에서 다소 사람 사울이라 하는 사람을 찾으라 그가 기도하는 중이 니라”(행 9:11).

‘직가’란 ‘곧은길’을 뜻합니다. 이 길은 본래 바울이 살던 당시 동서를 가로지르는 길이 1,600미터, 너비도 15미터나 되는 곧은길이었는데, 지금은 다메섹 시내의 복잡한 시장 안에 자리하고 있습니다. 이곳을 예전에 성지 순례단과 함께 방문했었는데, 시장 안에 남아 있는 석주와 성문의 잔해로 미루어 볼 때 과거에 얼마나 아름다운 길이었을지 상상이 되었습니다. 이 길 끝의 골목에는 유다의 집터를 개조해 만든 것으로 전해지는 아나니아 기념 교회가 세워져 있습니다. 바로 여기서 하나님의 인도로 아나니아와 바울의 역사적 만남이 이루어진 것입니다.

우리 신앙의 선배들은 사람과의 만남을 ‘신적 만남’(divine encounter)으로 여기며 이를 영성 훈련의 중요한 요소로 생각했습니다. 우리가 누군가를 만난 것이 하나님의 주선으로 이루어진 일이라면 얼마나 의미 있는 만남이겠습니까? 그렇기에 우리는 모든 만남을 진지하게 여겨야 합니다.

인간적 편견을 기도로 극복하라

아나니아와 바울의 만남은 영원을 태우는 만남이었으며, 시대를 바꿀 리더십의 출현을 예고하는 중요한 순간이었습니다. 그러나 아나니아의 입장에서 보면 그리 기뻐할 만한 만남은 아니었습니다. 교회 전승에 따르면, 아나니아는 예수님의 70제자(전도를 위해 처음 열두 명의 제자를 보내시고, 그다음에 칠십 인을 보내심) 중 한 사람으로, 후에 다메섹교회의 첫 감독이 됩니다. 다메섹교회 지도자의 입장에서 보면 바울은 복음의 적이자 교회를 박해하던 원수였기에, 그와 바울의 만남은 엄밀히 말해서 원수와의 만남이라 할 수 있었습니다.

"아나니아가 대답하되 주여 이 사람에 대하여 내가 여러 사람에게 들사온즉 그가 예루살렘에서 주의 성도에게 적지 않은 해를 끼쳤다 하더니 여기서도 주의 이름을 부르는 모든 사람을 결박할 권한을 대제사장들에게서 받았나이다 하거늘"(행 9:13-14).

이 말씀에서 우리는 아나니아의 마음속에 자리 잡은 바울에 대한 편견을 엿볼 수 있습니다. 어찌 보면 이 편견은 아나니아의 입장에서 당연한 것일 수 있습니다. 그러나 중요한 것은, 아나니아에게 이러한 편견을 깰 준비가 되어 있었다는 사실입니다.

만일 아나니아가 자신의 편견을 고수했다면, 그는 인류의 역사를 바꿀 리더를 세우는 축복을 누릴 수 없었을 것입니다. 그러나 그에게는 주님의 음성(말씀)보다 더 중요한 것은 없었습니다. 아나니아는 자신의 편견이나 이데올로기, 신념이 아무리 중요하다 해도, 하나님께서 바꾸라고 하시면 언제든 그것을 내려놓고 순종할 준비가 되어 있었습니다. 바로 이것이 그가 쓰임 받은 이유였습니다.

> "주께서 이르시되 가라 이 사람은 내 이름을 이방인과 임금들과
> 이스라엘 자손들에게 전하기 위하여 택한 나의 그릇이라"(행 9:15).

주의 음성을 들은 아나니아는 원수와도 같았던 바울을 만나기 위해 그가 머무는 집으로 향했습니다. 그는 인간적인 편견의 틀을 깨고 순종하며 나아갔습니다. 바로 이러한 사람들이 역사를 만드는 것입니다. 누가 뭐라 해도 자신의 생각을 고집하며 버티는 사람은, 세상에서는 굳은 신념을 지닌 사람으로 존경받을 수는 있을지 몰라도, 하나님께 쓰임 받는 사람은 될 수 없습니다.

또 하나, 아나니아가 자신의 편견을 깰 수 있었던 것은, 그가 기도하는 사람이었기 때문입니다. 그는 기도 중 환상 가운데 주의 음성을 들었습니다. 이러한 영적 민감성이 그로 하여금 주의 사람을 세우는 리더가 되게 한 것입니다.

주께서 보내시는 사람을 축복하라

시리아 성지 순례 중 다메섹에 있는 아나니아 기념 교회를 방문했을 때, 가장 감동적이었던 순간은 바울이 아나니아에게 안수받는 모습을 형상화한 동상을 보았을 때였습니다. 동상이 세워진 마당 아래

의 좁은 지하 통로를 따라 내려가면 10평 남짓한 작은 예배당이 자리하고 있는데, 그곳에 바로 그 사건이 실제로 일어난 장소라는 설명이 적혀 있었습니다. 저는 이 작은 예배당에서 형언하기 어려운 거룩한 감동에 젖고 말았습니다. 아나니아가 젊은 바울의 머리에 손을 얹고 기도할 때, 그는 자신이 역사를 바꿀 한 인물의 머리에 손을 얹고 있다는 사실을 전혀 알지 못했을 것입니다.

> "아나니아가 떠나 그 집에 들어가서 그에게 안수하여 이르되 형제 사울아 주 곧 네가 오는 길에서 나타나셨던 예수께서 나를 보내어 너로 다시 보게 하시고 성령으로 충만하게 하신다 하니"(행 9:17).

아나니아와 바울은 깨닫지 못했지만, 우리는 그들의 만남이 얼마나 중요한 역사적 순간이었는지를 잘 알고 있습니다. 아나니아의 안수, 곧 그의 축복으로 세상을 바꿀 리더가 태어나고 있었던 것입니다.

1800년대 중엽, 미국 보스턴의 한 교회에 에드워드 킴볼(Edward Kimball)이라는 주일학교 교사가 있었습니다. 어느 날 주일학교에 한 소년이 등록했는데, 그는 삼촌의 권유로 교회에 나오게 되었다고 했습니다. 킴볼 선생은 그 소년에게 성경을 가르치고자 했지만, 소년은 문맹으로 글자를 읽지 못했습니다. 이에 킴볼 선생은 그에게 성경을 사 주고 글을 가르치기 시작했습니다. 또한 그의 회심을 위해 기도하며 만날 때마다 그의 머리에 손을 얹어 축복했습니다.

그 소년이 바로 불세출의 세계적인 전도자가 되어 백만 명을 그리스도께 인도한 드와이트 무디(Dwight Moody)입니다. 우리가 무디처럼 위대한 전도자가 되기는 어려울지라도, 무디와 같은 사람을 길러 낸 킴볼 선생처럼 될 수는 있지 않겠습니까? 하나님이 우리에게 보내시는 이들을 축복할 준비만 되어 있다면 말입니다.

동일한 원리로, 우리가 바울과 같은 위대한 사도는 되지 못할지라도, 바울을 축복하며 그의 머리에 손을 얹어 기도했던 아나니아처럼은 될 수 있을 것입니다. 아나니아가 바울의 머리에 손을 얹었을 때, 바울은 앞을 볼 수 없게 된 장애인이자 그리스도인들을 박해하던 자였습니다. 그러나 아나니아는 하나님의 인도하심에 민감하게 반응했습니다. 그는 자신의 마음속 깊은 편견을 뛰어넘어 바울의 머리에 손을 얹고 축복했습니다. 그 순간 놀라운 일이 일어났습니다.

"즉시 사울의 눈에서 비늘 같은 것이 벗어져 다시 보게 된지라 일어나 세례[침례]를 받고(행 9:18).

바울의 눈이 열렸습니다. 아나니아는 바울이 새로운 세상을 보도록 도운 것입니다. 오늘 우리의 삶의 마당 언저리에는 눈을 뜨지 못하고 사는 이웃이 참 많습니다. 그들은 누군가의 축복을 기다리고 있습니다. 우리가 그들을 축복하는 순간, 그들은 눈을 뜨고 역사를 바꾸는 사람들이 될 것입니다.

우리는 신앙인 소녀, 민족의 누나인 유관순을 압니다. 그녀가 민족의 여인이요, 하나님의 사람이 될 수 있었던 것은 그녀의 눈을 뜨게 한 여러 도움의 손길 덕분이었습니다. 일찍 기독교 신앙을 받아들인 부친 유중권의 영향 그리고 그녀의 공주 영명학교 시절 믿음 좋은 소녀의 미래를 열고자 그녀를 서울 이화학당에서 공부하도록 도운 선교사 앨리스 샤프(Alice H. Sharp)의 도움이 있었습니다. 또한 이화학당 시절 "십자가 신앙으로 구원받은 성도는 십자가 신앙으로 민족을 섬겨야 한다"는 정동교회 손정도 목사의 영적 감화도 그녀를 만든 모자이크의 한 부분이었습니다. 그리고 신앙의 에너지를 나라 사랑으로 실천할 것을 늘 강조한 이화학당 박인덕 선생의 영향이 그녀의 믿음과 애국이라는 가치를 만들었다고 역사학자들은 전합니다.

이제 역사는 이 나라가 하나님 나라가 되기 위해 우리의 가정, 학교, 교회가 다음 세대를 축복하는 일에 어떻게 헌신할 수 있을지를 묻습니다. 유관순의 초혼묘(招魂墓)에는 그녀의 3.1운동 거사 직전의 기도문이 다음과 같이 적혀 있습니다.

오오 하나님이시여, 이제 시간이 임박하였습니다. 원수 왜를 물리쳐 주시고 이 땅에 자유와 독립을 주소서. 내일 거사할 각 대표들에게 더욱 용기와 힘을 주시고 이로 말미암아 이 민족의 행복한 땅이 되게 하소서. 주여 같이하시고 이 소녀에게 용기와 힘을 주옵소서. 대한 독립 만세! 대한 독립 만세!

우리는 모두 이 기도에 빚진 자들임을 잊지 말아야 합니다.

"가이사랴에 고넬료라 하는 사람이 있으니 이달리야 부대라 하는 군대의 백부장이라 그가 경건하여 온 집안과 더불어 하나님을 경외하며 백성을 많이 구제하고 하나님께 항상 기도하더니 하루는 제 구 시쯤 되어 환상 중에 밝히 보매 하나님의 사자가 들어와 이르되 고넬료야 하니 고넬료가 주목하여 보고 두려워 이르되 주여 무슨 일이니이까 천사가 이르되 네 기도와 구제가 하나님 앞에 상달되어 기억하신 바가 되었으니 네가 지금 사람들을 욥바에 보내어 베드로라 하는 시몬을 청하라 그는 무두장이 시몬의 집에 유숙하니 그 집은 해변에 있다 하더라 마침 말하던 천사가 떠나매 고넬료가 집안 하인 둘과 부하 가운데 경건한 사람 하나를 불러 이 일을 다 이르고 욥바로 보내니라"(행 10:1-8).

9

머리가 아닌
몸 된 교회가 되라

대를 잇는
믿음의 명문가를 세우라

고넬료의 회심 드라마

한국 교회에서 이단으로 분류되는 신앙 집단 중에 기성 교인들에게
접근하여 전도하면서 구원 문제를 들고나오는 이들이 있습니다. 그
들은 우리에게 분명한 구원의 깨달음과 죄 사함의 확신이 없다면 지
금의 예배 행위와 봉사 행위와 헌신, 심지어 우리의 기도 행위 등도
아무런 의미가 없다는 말로 그들 나름의 전도를 시작합니다.

저는 이들이 구원과 죄 사함을 강조하는 것은 잘못이 아니라고
생각합니다. 성경도 그것을 강조하기 때문입니다. 문제는 그들이
주장하는 방식으로의 구원의 극적 체험이 없으면 우리의 일상적인

종교적 노력이나 예배, 기도, 봉사와 헌신 등이 정말 아무런 의미가 없느냐는 것입니다. 저는 그렇지 않다고 봅니다. 그 증거가 사도행전 10장 1-8절에 있습니다.

본문 말씀은 아직 예수님을 만나지도, 성령을 체험하지도 못한 이방인인 로마군 장교 백부장 고넬료의 종교적 경건 실천의 모습을 보여 주고 있습니다. 여기서 우리는 성경이 아직 예수님을 만나지 못한 상태에서의 그의 종교적 실천이 아무런 의미가 없다고 말하지 않음을 주목해야 합니다. 오히려 주님은 그의 종교적 실천을 하나의 진지한 구도의 과정으로 인정하십니다. 그래서 고넬료로 하여금 온전히 주님을 만나고 구원을 받도록 사도 베드로를 통해 예수를 구주로 믿고 성령을 체험하게 하십니다. 그리고 그는 마침내 사도행전의 역사에서 이방인으로는 에디오피아 내시 다음으로 복음을 받아들인 자가 되어 이방인 선교의 중요한 역할을 감당하는 평신도 선교사가 됩니다.

백부장 고넬료가 거주하던 곳은 이스라엘 땅의 해안 도시 가이사랴였고, 그가 베드로를 만나도록 준비하신 베드로의 방문지는 가이사랴에서 남으로 불과 50킬로미터 정도 떨어진 해안 도시 욥바(오늘날의 텔아비브 근교)였습니다. 가이사랴에 있던 고넬료가 욥바에 머물고 있던 베드로를 가이사랴로 청함으로써 유명한 고넬료의 회심 드라마가 펼쳐지는 것입니다. 이 두 해안 도시는 당시 로마로 오가는 모든 배가 정박하는 항구 도시였고, 여기서 마침내 예수 그리스도의 복음을 로마와 온 세상으로 전파할 또 하나의 선교 증인과 선교사 가문이 태어나게 되었습니다.

그렇다면 주님이 이방인 선교의 도구로서 고넬료를 준비하고 쓰신 이유는 무엇일까요? 이는 이 시대에도 여전히 선교의 도구로 쓰임 받기를 갈망하는 모든 사람이 물어야 할 질문이 아닐 수 없습니다. 선교의 도구로 살고자 하는 이들에게 준비되어야 할 영성은 무엇이겠습니까?

'가족 신앙'의 영성

기독교 복음은 개인을 구원하는 영성에서 출발합니다. 복음을 수용하는 것도, 예수를 믿기로 결단하는 것도 어디까지나 개인적인 결단에 근거한다는 말입니다. 아무리 절친한 사람이라도 우리를 대신하여 예수를 믿을 수 없고, 우리 자신이 아닌 다른 사람의 믿음에 근거하여 우리가 구원을 받을 수도 없습니다. 그렇다고 기독교 신앙이 개인에 대한 관심에만 머문다고 생각하면 큰 잘못입니다. 복음을 통한 구원이 정말 한 사람의 운명을 바꾸는 중대한 사건이라면, 어떻게 그 구원이 우리 개인에게만 일어나는 것으로 만족할 수 있단 말입니까? 구원받은 모든 그리스도인은 자연스럽게 이 놀라운 구원이 누구보다 먼저 자신의 가족에게 임하기를 갈망할 것입니다. 그런 의미에서 성경적 신앙은 개인적이면서도 가족적인, 더 나아가 사회적인 성격을 갖습니다.

구약에서 노아가 갖게 된 여호와 신앙의 궁극적인 축복은 그 가족을 구원하는 것이었습니다. 비록 그가 그 시대의 많은 사람을 구원의 방주로 인도하지는 못했어도, 자신의 가족을 구원함으로써 결국 구속사를 이어 가는 믿음의 명문가가 될 수 있었던 것입니다.

"믿음으로 노아는 아직 보이지 않는 일에 경고하심을 받아 경외함으로 방주를 준비하여 그 집을 구원하였으니 이로 말미암아 세상을 정죄하고 믿음을 따르는 의의 상속자가 되었느니라"(히 11:7).

바울이 빌립보의 감옥에서 간수와 죄인들에게 선포한 것도 바로 가족 구원의 복음이었습니다.

"주 예수를 믿으라 그리하면 너와 네 집이 구원을 받으리라"(행 16:31).

본문 말씀에서 고넬료는 아직 예수님을 알지는 못했어도, 유대 땅에서 군인으로 주둔하며 유대인들의 여호와 신앙을 받아들여 온 가족이 함께 결단한 것으로 보입니다.

"그가 경건하여 온 집안과 더불어 하나님을 경외하며"(행 10:2).

"그들이 대답하되 백부장 고넬료는 의인이요 하나님을 경외하는 사람이라 유대 온 족속이 칭찬하더니"(행 10:22).

그는 정복자로서 성지에 주둔하고 있었지만, 유대인들의 신앙의 대상인 하나님을 받아들여야 할 대상으로 인식하고 온 가족과 함께 하나님을 믿고 경외했습니다. 그리고 하나님은 마침내 베드로를 보내어 그와 그의 집이 예수를 구주로 믿도록 하셨습니다. 가족이 구원받지 못했다면 어떻게 우리가 온 세상에 나아가 복음을 담대히 전할 수 있겠습니까? 그러므로 가족이 먼저 구원받고 믿음으로 살아가며, 가족 신앙의 영성을 유산으로 계승하는 믿음의 명문가가 되어야 합니다. 함께 하나님을 경배하고, 예수님의 고난의 의미를 묵상하며, 부활의 주를 찬양하는 가족이 되어야 한다는 것입니다.

구제의 영성

성경에서는 고넬료를 의인이라고 소개했습니다. 과연 그는 어떤 삶을 살았기에 의인으로 소개되었을까요? 그것은 바로 구제의 실천이었습니다.

"백성을 많이 구제하고"(행 10:2).

그가 정복지인 유대 땅의 이웃들에게 칭찬을 받은 이유도 이 때문이었습니다. 사실 구제는 성경에서 경건의 실천 혹은 의의 실천으로 가장 강조된 신앙인의 덕목이었습니다.

“사람에게 보이려고 그들 앞에서 너희 의를 행하지 않도록 주의
하라”(마 6:1).

여기서 예수님이 강조하신 의의 행함은 무엇을 의미하는 것일까
요? 그다음 이어지는 구절에서 알 수 있습니다.

“그러므로 구제할 때에”(마 6:2).

구약 시대와 초대 교회를 거쳐 오면서 ‘의의 실천’은 바로 ‘구제
의 실천’이었습니다. 사실 한 사람이 새롭게 여호와 신앙, 혹은 예
수 신앙을 갖게 되었을 때 이웃들에게 보이는 현저한 삶의 변화가
무엇이겠습니까?

물론 그가 교회에 다니기 시작한 것도 중요한 변화일 것입니다.
그러나 그것이 이웃에게 영향을 미칠 수 있는 변화는 아닙니다. 우
리의 이웃들은 우리가 교회에 다니게 되었다는 것으로 감동하지
않습니다. 그들은 우리가 교회에 나가게 됨으로써 우리의 삶이 어
떻게 변화되었는지를 주목합니다. 다시 말해, 교회에 다니기 전에
는 자기중심적이고 이기적이었던 우리가 이제는 이웃을 생각하며
나눔의 삶을 실천하기 시작할 때, 이웃들은 그 변화에 감동하게 된
다는 것입니다. 성경은 고넬료가 새롭게 갖게 된 믿음의 경건이 바

로 이런 구제의 실천으로 나타났고, 그것이 바로 경건의 증거라고
가르치고 있습니다.

> "하나님 아버지 앞에서 정결하고 더러움이 없는 경건은 곧 고아와
> 과부를 그 환난 중에 돌보고 또 자기를 지켜 세속에 물들지 아니
> 하는 그것이니라"(약 1:27).

이처럼 구제는 그리스도인들이나 그리스도인 공동체에서 선교
와 함께 강조된 영성 실천의 덕목이었습니다. 바울의 고백을 들어
보십시오.

> "또 기둥같이 여기는 야고보와 게바와 요한도 내게 주신 은혜를
> 알므로 나와 바나바에게 친교의 악수를 하였으니 우리는 이방인
> 에게로, 그들은 할례자에게로 가게 하려 함이라 다만 우리에게 가
> 난한 자들을 기억하도록 부탁하였으니 이것은 나도 본래부터 힘
> 써 행하여 왔노라"(갈 2:9-10).

바울은 자신이 감당해야 할 가장 중요한 사명으로 이방인 선교
를 꼽으면서도 가난한 자를 돌아보는 것 또한 잊지 않고 실천하고
자 애써 왔다고 말합니다. 하나님이 바울과 고넬료를 사용하신 이
유는 바로 이런 영성의 실천을 귀하게 여기셨기 때문입니다. 그렇
다면 오늘을 사는 우리도 구제의 영성이 풍성하기를 기도해야 마

땅합니다. 또한 가난하고 외로운 이웃들을 찾아 그들과 함께할 수 있도록 노력해야 합니다. 그러면 하늘의 하나님께서 매우 기뻐하실 것입니다.

기도의 영성

한 성경학자는 고넬료의 집이 두 개의 창을 열고 있었다고 말합니다. 하나는 이웃을 향한 창으로 구제의 실천을 의미하며, 다른 하나는 하늘을 향한 창으로 기도를 상징한다는 것입니다.

> "하나님께 항상 기도하더니"(행 10:2).

우리가 정상적으로 성도의 삶을 살아간다면, 기도의 삶은 피할 수 없는 부분입니다. 그런데 성경은 고넬료의 기도의 삶을 의식적 차원에서 증언하는 것이 아니라, 그가 항상 기도하며 살았음을 증언합니다. 기도가 곧 그의 삶이었던 것입니다. 물론 그는 하나님만 알고 예수님은 모르고 있었습니다. 그럼에도 불구하고 성경은 다음과 같이 증언합니다.

> "고넬료가 주목하여 보고 두려워 이르되 주여 무슨 일이니이까 천사가 이르되 네 기도와 구제가 하나님 앞에 상달되어 기억하신 바

가 되었으니"(행 10:4).

이러한 증언을 통해, 우리는 예수를 모르던 고넬료의 기도를 열납하고 기억하신 하나님께서 예수를 믿고 그분의 이름으로 드리는 우리의 기도 또한 기뻐하며 열납하신다는 사실을 깨닫게 됩니다. 계속 이어지는 기도의 드라마를 보십시오. 기도하는 고넬료를 보고 하나님의 천사는 그에게 욥바에 있는 베드로를 청하라고 말합니다. 한편 베드로도 길을 가던 중 기도 시간이 되어 욥바에 있는 피색장(짐승 가죽으로 물건을 만드는 사람) 시몬의 집으로 들어갑니다.

"이튿날 그들이 길을 가다가 그 성에 가까이 갔을 그때에 베드로가 기도하려고 지붕에 올라가니 그 시각은 제 육 시[정오 12시]더라"(행 10:9).

바로 이 기도의 시간에 베드로는 환상을 통해 이방인에 대한 편견을 깨고 가이사랴에 있는 고넬료의 집을 방문하여 복음을 전합니다. 이를 통해 고넬료와 그의 가족, 친척, 친구들이 함께 구원을 받고 성령을 체험하게 됩니다. 기도가 결국 그의 집을 구원하고 변화시킨 것입니다. 그리하여 고넬료의 집은 하나님께 쓰임 받는 신앙의 명문가가 됩니다.

한국 교회 초기에도 기도로 쓰임 받은 한국판 고넬료의 가문이 있었습니다. 평북 의주 출신인 장사꾼 서 씨는 어릴 적 서당에서 한학을 배우며 글쓰기에 뛰어난 재능을 보였습니다. 독서를 통해 새로운 세상을 동경한 그는 청년 시절부터 중국을 오가며 홍삼 비즈니스를 시작했습니다. 그는 그리스도인이 되기 전부터 신실하고 총명하며, 열린 마음으로 이웃을 돌아보는 진취적인 사람이었습니다. 그러던 중 만주 영구에 장사차 갔다가 장티푸스에 걸려 고생하던 그는 영국인 의사 헌터에게 치료를 받은 후, 그의 소개로 선교사 존 매킨타이어(John Mcintyre) 목사를 만나 복음을 전해 듣게 됩니다.

성경을 읽으며 복음의 메시지에 감화된 그는 예수님을 믿기로 결심합니다. 그곳에서 매킨타이어와 같은 선교회에 소속된 선교사 로스(John Ross)를 만나 성경 번역에 참여한 그는 이후 권서인(勸書人, colporteur)으로 활동하며 황해도 소래에서 동생과 함께 한국 최초의 소래교회를 개척하게 됩니다. 이후에 서울로 이동한 그는 남한 최초의 교회인 새문안교회를 설립합니다. 그의 이름은 서상륜이며, 그는 동생 서경조와 함께 한국 초대 교회의 신앙 명문가를 이루게 됩니다.

새문안교회 설립 당시 열네 명의 세례 교인이 있었는데, 그중 열세 명이 서상륜이 전도한 사람이었습니다. '새로운 한국을 위한 국민운동' 집행위원장으로 섬기고 있는 서경석 목사도 바로 이 가문 출신입니다. 바로 이 서 씨 가문이 민족 복음화의 결정적인 역할을 감당한 것입니다.

우리도 한번 이런 믿음의 명문가를 꿈꾸어 보아야 하지 않겠습니까? 우리가 이웃을 향한 창을 열어 사랑을 실천하고, 하늘을 향한 창을 열어 기도를 시작한다면 가이사랴의 기적, 가문의 영광이 시작될 것입니다.

"그때에 스데반의 일로 일어난 환난으로 말미암아 흩어진 자들이 베니게와 구브로와 안디옥까지 이르러 유대인에게만 말씀을 전하는데 그 중에 구브로와 구레네 몇 사람이 안디옥에 이르러 헬라인에게도 말하여 주 예수를 전파하니 주의 손이 그들과 함께하시매 수많은 사람들이 믿고 주께 돌아오더라 예루살렘교회가 이 사람들의 소문을 듣고 바나바를 안디옥까지 보내니 그가 이르러 하나님의 은혜를 보고 기뻐하여 모든 사람에게 굳건한 마음으로 주와 함께 머물러 있으라 권하니 바나바는 착한 사람이요 성령과 믿음이 충만한 사람이라 이에 큰 무리가 주께 더하여지더라 바나바가 사울을 찾으러 다소에 가서 만나매 안디옥에 데리고 와서 둘이 교회에 일 년간 모여 있어 큰 무리를 가르쳤고 제자들이 안디옥에서 비로소 그리스도인이라 일컬음을 받게 되었더라"(행 11:19-26).

이름이 바뀌면
삶도 바뀐다

그리스도인다운
믿음의 삶을 살라

그리스도인이라는 이름

옛날에 많이 하던 게임인데, 여러 사람이 둥글게 앉아 귓속말로 정해진 문장을 그대로 전달하는 놀이가 있습니다. 이 놀이의 재미는 대개 마지막 사람에게 전달된 말을 보면 처음 시작한 말과 상당한 차이가 난다는 데 있습니다. 때로는 엉뚱한 말로 둔갑하기도 합니다. 이는 전달 과정에서 처음 말한 것과는 다른 내용이 첨가되거나 원래의 내용이 삭제되기 때문에 그렇습니다. 예를 들어, 사회자가 "사과는 건강에 좋습니다. 잊지 말고 가족과 함께 꼭 드세요. 그러나 저녁에는 안 좋습니다. 저녁에는 절대로 안 됩니다"로 시작했는데 나중에 한 바퀴 돌고 나면 "사과하면 건강에 좋습니다. 잊지 말고 가족에게 꼭 하세요. 그러나 저녁에는 안 좋습니다. 저녁에는 절대로 사과하지 마세요"가 됩니다. 중간에 누군가가 '사과는'이라는 표현을 '사과하면'으로 바꾼 데서 의미의 변질이 시작된 것입니다.

이런 영적 변질의 한 사례가 '그리스도인'이라는 단어의 용례라고 할 수 있습니다. 오늘날 '그리스도인'이라는 단어의 가장 보편적인 인식은 그냥 '교회에 다니는 사람'일 것입니다. 그러나 이 단어가 처음 사용될 때도 그랬을까요? 본문은 그리스도인이라는 말이 소아시아 수리아(시리아)의 안디옥에서 처음 사용되었다고 기록하고 있습니다. 안디옥은 예루살렘 북쪽으로 약 480킬로미터 떨어진 곳에 위치한 도시로, 로마 제국 치하에 있던 수리아의 수도였습니다. 지금은 튀르키예 영내에 자리 잡고 있습니다.

안디옥은 지중해에서 24킬로미터 정도 떨어진 오론테스(Orontes) 강가에 위치한 중요한 상업 도시로서 당시 인구 50만 명에 달하는, 로마 제국에서 세 번째로 큰 도시였습니다. 스데반의 순교 이후 그리스도인들에 대한 박해가 일어나자 많은 성도가 수리아 안디옥으로 도피하게 되면서 그곳은 자연스럽게 새로운 선교의 중심 도시가 되었습니다. 순교와 박해가 복음을 저지한 것이 아니라, 새로운 복음의 중심 도시를 만들었던 것입니다. 바로 여기서 그리스도의 제자들에게 '그리스도인'이라는 이름이 처음 주어지게 되었습니다.

"그때에 스데반의 일로 일어난 환난으로 말미암아 흩어진 자들이 베니게와 구브로와 안디옥까지 이르러 유대인에게만 말씀을 전하는데"(행 11:19).

이 말씀처럼 스데반의 순교 이후 그리스도인들은 여러 곳으로 흩어졌고, 안디옥에 도달하여 안디옥교회의 부흥이 일어나게 됩니다. 그리고 이 부흥하는 공동체의 지도자인 바나바는 함께 섬길 동역자를 찾습니다.

"바나바가 사울을 찾으러 다소에 가서 만나매 안디옥에 데리고 와서 둘이 교회에 일 년간 모여 있어 큰 무리를 가르쳤고 제자들이 안디옥에서 비로소 그리스도인이라 일컬음을 받게 되었더라"(행 11:25-26).

그동안 제자들, 성도, 형제들로 불리던 이들이 이제 안디옥에서 그리스도인이라고 처음 일컬음을 받게 되었습니다. 그렇다면 그리스도인(크리스천)이라는 말의 본래 의미는 무엇일까요?

첫째, 그리스도인은 그리스도에게 속한 자라는 정체성을 갖고 사는 사람입니다. 그리스도인이라는 말은 희랍어로 '크리스티아누스'(christianus)인데, 그리스도(Christ)라는 단어에 '-ian'(-에 속한 사람)이라는 접미사를 추가한 것으로 '그리스도에 속한 사람'이라는 뜻입니다. 그런데 주목할 것은, 이 명칭을 그리스도인들이 스스로 사용한 것으로는 보이지 않는다는 것입니다. 아마도 믿지 않는 자들, 즉 불신자들에 의해 이 명칭이 붙여졌을 것입니다. 그러면 무엇이 그들을 그리스도인이라고 불리게 했을까요? 여기서 또 하나 주목할 것은, 그들이 바나바와 바울에게 본격적으로 1년 동안 가르침을 받고 나서 주변 사람들에게 그리스도인이라 일컬음을 받게 되었다는 사실입니다.

그렇다면 그들은 도대체 1년간 무슨 가르침을 받았을까요? 잘은 모르지만, 분명한 것은 그들이 제자 훈련을 받았다는 것입니다. '제자'란 문자 그대로 말하면 '따라가는 사람'(follower)이라는 뜻입니다. 그렇다면 제자 훈련의 초점은 그리스도를 따르는 제자로서 어떻게 그분을 따라 살 것인가를 배우는 것입니다. 제자 훈련의 핵심은 지식의 전달이 아니라, 삶의 전달입니다. 그리스도의 삶을 흉내 내는 것입니다. 유명한 중세 독일의 수도사이자 영성 작가인 토마스 아 켐피스(Thomas à Kempis)의 표현을 빌리면 '그리스도의 모방'(Imitation of Christ, Imitatio Christi)인 것입니다. 사도 바울도 "내가 그리스도를 본받는 자가 된 것같이 너희는 나를 본받는 자가 되라"(고전 11:1)라고 말했습니다.

그리스도의 제자 됨의 핵심은 그리스도처럼 말하고, 그리스도처럼 섬기고, 그리스도처럼 행동함을 연습하는 것입니다. 초대 교회 시절 안디옥 시민들은 예수의 제자들에게서 이런 그리스도의 냄새를 맡았습니다. 이에 그들을 크리스티아누스, 곧 그리스도에 속한 사람, 그리스도를 따르는 사람으로 부른 것입니다. 불과 1년밖에 안 된 그들이 이런 변화의 흔적을 드러냈습니다.

목회하면서 늘 신기하게 생각되는 것이 있다면, 예수 믿고 교회에 나온 지 수십 년이 지났어도 예수 냄새가 전혀 안 나는 성도들이 있는가 하면, 교회에 나온 지 1년밖에 안 되었어도 그리스도의 냄새, 그리스도의 향기가 진한 성도들이 있다는 사실입니다. "나는 마음이 온유하고 겸손하니"(마 11:29)라고 말씀하신 그리스도처럼 자신을 드러내기보다, 어떻게 이웃을 섬기고 행복하게 할 것인가를 늘 고민하는 사람이 진정한 그리스도인, 곧 크리스티아누스라 할 수 있을 것입니다.

둘째, 그리스도인이란 예수를 그리스도로 증거하는 사람입니다. 사도행전을 읽다 보면 그리스도인이라는 단어가 사용된 경우를 한 번 더 만나게 됩니다.

"아그립바가 바울에게 이르되 네가 적은 말로 나를 권하여 그리스도인이 되게 하려 하는도다"(행 26:28).

바울이 헤롯 아그립바(헤롯 대왕의 손자, 37-44년까지 팔레스타인 전체를 다스림)왕에게 심문을 당하면서 오히려 그에게 예수를 그리스도로 믿으라고 전하자, "네가 나를 그리스도인이 되게 하려 하느냐"라고 말하는 대목에서 그리스도인이라는 명칭이 사용되었습니다. 안디옥에서 예수의 제자들이 그리스도인이라고 불린 것도 그들이 모든 삶의 기회에서 그리스도를 증거하고 있었기 때문입니다. 이처럼 그리스도인은 예수를 그리스도로 전하는 사람을 뜻합니다.

'그리스도'라는 말은 본래 '기름 부으신 사람'이라는 뜻입니다. 구약에 보면 백성을 다스리는 왕, 백성의 죄 문제를 해결하는 제사장 그리고 백성을 진리로 가르치는 선지자, 이렇게 세 유형의 사람이 기름 부음을 통해 직분을 받았습니다. 그런데 사람들은 끊임없이 불완전한 왕과 제사장 그리고 선지자를 경험하며 하나님이 직접 기름 부어 주실 그리스도를 기다려 왔습니다. 그리고 마침내 초대 교회의 사람들은 예수가 바로 그들이 기다려 온 왕이요, 제사장이요, 선지자임을 발견했습니다. 예수가 구주이셨던 것입니다. 그들은 이 사실을 사람들에게 전하기 시작했고, 이를 통해 그들은 그리스도인이라고 불리게 되었습니다.

처음 예수의 제자들은 안디옥에 이르기 전까지 주로 유대인들에게만 말씀을 전했습니다. 그러나 안디옥에 도착한 후, 그들은 삶의 안전지대를 벗어나 헬라인을 포함한 이방인들에게도 복음을 전하며 획기적인 변화를 경험하게 됩니다.

"그중에 구브로와 구레네 몇 사람이 안디옥에 이르러 헬라인에게도 말하여 주 예수를 전파하니"(행 11:20).

그것이 어떤 결과를 가져왔습니까? 바로 부흥이 일어났습니다.

"주의 손이 그들과 함께하시매 수많은 사람들이 믿고 주께 돌아

114

오더라"(행 11:21).

이 사건은 오늘날 우리에게 하나님은 전도를 기뻐하신다는 사실을 가르쳐 줍니다. 우리 중에는 평생 교회에 다니면서도 믿지 않는 이웃을 그리스도에게로 인도한 경험이 없는 사람이 있습니다. 그러나 예수를 그리스도로 증거하는 사람이야말로 진정한 그리스도인입니다. 낮에는 그리스도를 위해 일하고 밤에는 그리스도를 꿈꾸며 때를 얻든지 못 얻든지 말과 삶으로 그리스도를 전하는 사람, 성경은 이들을 크리스티아누스, 곧 그리스도인이라고 부릅니다.

셋째, 그리스도인이란 그리스도를 위해 고난도 감수할 줄 아는 사람입니다.

> "만일 그리스도인으로 고난을 받으면 부끄러워하지 말고 도리어 그 이름으로 하나님께 영광을 돌리라"(벧전 4:16).

그리스도인이란 고난 속에서도 그리스도의 이름을 붙들고 그 이름을 드러내기 위해 자신을 희생하는 사람입니다. 이러한 삶이 그들에게 그리스도인으로 불리는 명예를 선물한 것입니다.

안디옥 교인들의 모습이 이런 이미지였습니다. 믿음의 박해로 흩어져 안디옥까지 오게 되었다면 그곳에서는 조용히 살 수도 있었을 것입니다. 그러나 박해가 두렵다고 그리스도의 이름을 증거하는 일을 포기할 수는 없었습니다. 이것이 바로 참 그리스도인의 모습인 것입니다.

안디옥 교인들은 복음을 증거함으로 고난에 동참할 뿐 아니라, 지도자인 바나바를 따라 착한 삶에 열중하고 있었습니다. 성경은 바나바를 "착한 사람"(행 11:24)이라고 소개합니다. 또한 사도행전 4장을 보면 그를 다음과 같이 소개하고 있습니다.

"구브로에서 난 레위족 사람이 있으니 이름은 요셉이라 사도들이 일컬어 바나바라(번역하면 위로의 아들이라) 하니 그가 밭이 있으매 팔아 그 값을 가지고 사도들의 발 앞에 두니라"(행 4:36-37).

여기서 우리는 바나바가 그의 별명이었다는 사실을 알 수 있습니다. 그는 사람들을 만날 때마다 위로하고 격려하는 사람이었으며, 이웃과 공동체의 필요를 보고 자신의 밭까지 팔아 하나님 나라를 위해 기꺼이 드리는 희생적인 사람이었습니다. 그로 인해 안디옥 교회에는 큰 무리가 더해지는 부흥이 일어났고, 이런 교인들에게 그리스도인이라는 명예로운 별명이 주어진 것입니다.

우리 시대에도 바나바와 같은 격려와 위로를 소명으로 알고 사는 그리스도인들이 요구되고 있습니다. 입만 열면 이웃을 정죄하거나 비판하면서 자기 체면, 자기주장만 앞세우는 교인들로 인해 교회 공동체가 얼마나 어두워지고 있습니까? 이웃을 배려하기보다 언제나 자기 목전의 이익과 편의를 먼저 챙기는 무례한 사람들, 진실로 교회를 섬기기보다 교회를 이용하여 자기만족을 추구하는 사람들,

교회에 나오면서 주차 질서 하나 지키지 못하는 사람들로 인해 오늘의 교회는 세상을 향한 신앙 공동체의 매력을 상실하고 있습니다. 결국 가장 강력한 공동체로의 회복은 교회 안의 성도들이 먼저 그리스도인다운 그리스도인이 되는 것입니다.

요즘 정말 안타깝고 자괴감이 드는 것은, 정말 멋있는 그리스도인들이 별로 눈에 띄지 않는다는 사실 때문입니다. 안디옥교회의 지도자인 바나바와 같은 사람을 만나기가 쉽지 않습니다. 그는 별명으로 얻은 바나바라는 이름처럼 이웃을 만날 때마다 격려하고 위로하는 사람, 공동체가 무엇인가를 필요로 할 때 서슴지 않고 자신의 지갑을 여는 사람, 젊은 지도자 바울을 믿고 격려하며 세워 주는 사람, 때가 차면 미련 없이 물러설 줄 아는 사람이었습니다.

한국 수필 문학의 역사를 만든 피천득 선생의 《인연》(샘터사)이라는 책을 보면 '맛과 멋'이라는 글이 있습니다.

맛은 감각적이요, 멋은 정서적이다.

맛은 적극적이요, 멋은 은근하다.

맛은 생리를 필요로 하고, 멋은 교양을 필요로 한다.

맛은 정확성에 있고, 멋은 파격에 있다.

맛은 그때뿐이요, 멋은 여운이 있다.

맛은 얕고, 멋은 깊다.

맛은 현실적이요, 멋은 이상적이다.

정욕 생활은 맛이요, 플라토닉 사랑은 멋이다.

　　(중략)

　　맛은 몸소 체험을 해야 하지만, 멋은 바라보기만 해도 된다.
　　맛에 지치기 쉬운 나는 멋을 위하여 살아간다.

　　저는 피천득 선생의 이 글을 떠올리며 이 땅에 멋있는 그리스도인이 얼마나 될까를 생각했습니다.

　　지난 2004년, 교인들과 함께 군부대 세례(침례)식을 위해 백령도를 방문했을 때 백령도 최초의 교회인 중화동교회를 방문한 적이 있습니다. 그 이후로 저는 중화동교회의 기독교 역사관 앞마당에 세워진, 교회 창립 멤버이자 백령도 최초의 그리스도인인 허득의 유언이 새겨진 비문을 자주 떠올리곤 합니다.

　　1894년, 백령도 출신의 관리이자 당상관이었던 허득은 우리나라 최초의 교회인 황해도 소래교회가 마을을 변화시킨 소식을 듣고 깊은 감명을 받게 됩니다. 이후 스스로 성경을 구하여 읽기 시작한 그는 1898년 9월에 마을 사람들을 모두 모아 자신이 깨달은 성경 이야기를 전하며 함께 예수를 믿자고 권합니다. 이에 동리 사람들은 박수를 치면서 만장일치로 예수를 믿기로 결의합니다.

　　그날부터 백령도 주민들은 저녁마다 사랑방에 모여 성경을 읽고 기도합니다. 목장 교회를 시작한 것입니다. 그리고 1898년 10월 9일, 허득은 황해도 소래교회의 서경조 장로와 연락하여 백령도 중화동교회의 창립 예배를 드립니다. 이후 1900년 11월 8일에는 언더우드(Horace Grant Underwood) 선교사를 초청하여 세례 문답을 받고, 허득을 비롯한 일곱 명이 세례 교인이 됩니다.

그 후 백령도는 전라도 증도와 함께 우리나라에서 가장 범죄율이 낮은 섬 그리고 섬 주민 4천여 명 중 약 80퍼센트가 예수를 믿는 섬으로 변화합니다. 이웃들이 서로를 돕고 섬기는 또 하나의 낙원을 만든 것입니다. 이러한 변화의 출발점에는 허득이라는 훌륭한 그리스도인이 있었습니다.

1902년 6월 3일, 허득은 자손들을 모아 놓고 마지막 유언을 남깁니다. 그의 유언은 "예수 잘 믿으라"였습니다. 저는 그가 남긴 이 말이 가장 심오하고 위대한 유언이라고 생각합니다. 그래서 교회 앞마당 비석에도 이 유언이 새겨지게 된 것입니다.

한국 교회가 존경하는 한경직 목사님은 말년에 남한산성에 머물며 후배들의 방문을 받으셨습니다. 그때마다 후배들이 꼭 한마디 해 주실 말씀이 없느냐고 청하면, 목사님은 언제나 조용한 미소로 "참된 그리스도인이 되십시오!"라고 말씀하셨습니다.

그렇습니다. 안디옥교회가 역사에 남긴 가장 놀라운 도전은, 그리스도인이 되었다면 이제 그리스도인답게 살아야 한다는 것입니다. 우리 역시 세상을 떠나는 날 자녀들에게 이런 유언을 남겨야 하지 않을까요?

"내 평생에 한 가지, 예수를 잘 믿으려고 노력했다. 너희도 예수를 잘 믿어야 한다."

"안디옥교회에 선지자들과 교사들이 있으니 곧 바나바와 니게르라 하는 시므온과 구레네 사람 루기오와 분봉 왕 헤롯의 젖동생 마나엔과 및 사울이라 주를 섬겨 금식할 때에 성령이 이르시되 내가 불러 시키는 일을 위하여 바나바와 사울을 따로 세우라 하시니 이에 금식하며 기도하고 두 사람에게 안수하여 보내니라"(행 13:1-3).

육의 껍질을 깨고
날마다 부활하라

순종의 길을 따라
하나님 나라가 임한다

세상을 변화시키는 힘

유명한 종교 개혁자 마르틴 루터(Martin Luther)가 종교 개혁 운동을 하던 중 깊은 좌절에 빠져 사흘간 몸져누운 때가 있었습니다. 사흘째 되던 날, 루터의 아내 카타리나(Katharina von Bora)가 남편 앞에 상복을 입고 나타났습니다. 루터가 놀라서 물었습니다.

"누가 죽었소?"

아내가 대답했습니다.

"예, 하나님이요."

"아니, 당신, 무슨 말을 그렇게 하시오. 하나님이 어떻게 돌아가

신단 말이오?”

그러자 아내는 다시 이렇게 말했다고 합니다.

“당신이 실망하고 누워 있는 모습을 보면 하나님이 돌아가신 것이 틀림없어요.”

아내의 말을 들은 루터는 깊이 깨닫고 다시 일어나 거룩한 과업을 수행할 수 있었다고 합니다.

여기서 질문 하나를 던져 볼까 합니다. 과연 한두 사람이 온 세상을 바꾸는 일이 가능할까요? 또 한 지역 교회가 온 세상을 바꾸는 일이 가능할까요? 저는 이 질문에 모두가 “예”라고 대답할 수 있다고 믿습니다.

예루살렘에서 박해를 피해 이주해 온 성도들이 소아시아에서 만든 안디옥교회와 이 교회에서 선교사로 파송한 바나바와 바울이 바로 본문의 주인공입니다. 본문 말씀을 보면 안디옥교회는 그들 중에 지도자였던 바나바와 바울을 세계 선교를 위해 열방으로 파송했고, 특히 바울은 당시의 알려진 세상(오늘의 튀르키예, 그리스와 로마를 포함한 유럽 대륙)을 세 차례 이상 여행하며 도처에 교회를 개척했습니다. 이로 인해 1세기의 세상은 복음을 통해 질적인 변화를 경험하게 되었습니다.

그렇다면 그들이 과연 자신들만의 힘으로 세상을 변화시킬 수 있었을까요? 대답은 “아니오”입니다. 그러한 변화는 살아 계신 주님이 함께하셨기에 가능했습니다. 주님은 지금도 동일하게 살아 계시며, 우리를 통해서도 세상을 변화시키기를 원하십니다. 이제 살아 계신 주님이 안디옥교회와 함께하신 증거들을 살펴보겠습니다.

하나님을 진지하게 예배함

주님의 부활의 가장 강력한 증거는 우리가 참여하여 드리는 예배입니다. 그 당시 유대인들의 회당 예배는 안식일에 이루어지고 있었습니다. 안식일은 본래 토요일입니다. 유대인들은 세상에서 가장 철저하게 전통을 고수하는 민족입니다. 그런데 이 유대인 중 상당수의 그리스도인(초기 그리스도인들은 거의 유대인이었음)이 안식 후 첫날, 그러니까 지금의 주일에 모여 떡을 떼며 주를 경배했습니다. 있을 수 없는 변화가 일어난 것입니다.

주일의 본질은 안식일이 아니라 주님의 부활을 기념하는 날입니다. 그래서 그들은 주께서 부활하신 주일에 모여 구원받고 하나님의 자녀로 살아가게 된 것을 감사하며 예배를 드렸습니다. 이러한 예배를 통해 그들은 살아 계신 주님의 임재를 경험하고, 주님과 깊이 만나는 시간을 가질 수 있었습니다.

> "두세 사람이 내 이름으로 모인 곳에는 나도 그들 중에 있느니라"(마 18:20).

처음 그리스도인들은 단순히 모이는 것이 아니라, 예배의 자리로 모였습니다. 예수의 이름으로 진지하게 모인 예배에서 그들이 누린 가장 큰 축복은 바로 '주님의 임재를 경험하는 것'("나도 그들 중에 있느니라"라고 하신 그분과의 만남)이었습니다. 그분이 다시 사셨기 때문입니다. 사도행전 13장 2절을 보면 "주를 섬겨 금식할 때에"라는 표현이 나오는데, 이를 더 엄격하게 번역하면 "주를 예배하며 금식할 때에"(While they were worshiping the Lord and fasting[NIV])입니다. 그들이 금식까지 하며 예배를 드렸다는 것은, 예배를 통해 주님을 만나고자 하는 간절한 갈망이 있었음을 보여 줍니다.

그런데 오늘을 사는 우리는 2천여 년 전에 돌아가신 주님과의 만남을 어떻게 기대하고 있습니까? 기억하십시오. 예배는 부활하신 주님을 만나는 자리입니다. 그래서 예배는 진지해야 합니다. 살아 계신 주님과의 만남을 경험하는 순간이기 때문입니다. 우리가 주님의 부활의 날인 주일마다 진지하게 예배의 자리에 나아가는 것 자체가 바로 주님의 부활을 증거하는 일임을 믿어야 합니다.

하나님의 음성을 듣는 일

안디옥 교인들은 그날 예배의 자리에서 성령의 음성을 들었습니다.

> "주를 섬겨 금식할 때에 성령이 이르시되 내가 불러 시키는 일을 위하여 바나바와 사울을 따로 세우라 하시니"(행 13:2).

요한복음에서는 주께서 일찍 제자들의 곁을 떠나야 성령이 오신다고 말씀합니다. 성령의 강림과 사역은 예수님의 죽으심과 부활 그리고 승천을 전제로 한 것이었습니다.

"그러나 내가 너희에게 실상을 말하노니 내가 떠나가는 것이 너희에게 유익이라 내가 떠나가지 아니하면 보혜사가 너희에게로 오시지 아니할 것이요 가면 내가 그를 너희에게로 보내리니"(요 16:7).

이와 같이 보혜사인 성령님이 오셔서 주님의 제자들에게 말씀하심이 바로 주님께서 부활하신 또 하나의 증거가 됩니다. 예수님이 부활하지 않으셨다면, 우리가 어떻게 그분의 음성을 성령을 통해 들을 수 있겠습니까? 만일 예수님의 부활이 없다면, 전 세계 수많은 성도가 예배 중에 주님의 음성을 듣고자 고대하는 일은 아무런 의미가 없을 것입니다.

감사한 것은, 예수님이 정녕 부활하셨다는 사실입니다. 그래서 지금도 수많은 사람이 주의 음성을 듣고 주가 보내시는 일터로 나아갑니다. 마찬가지로 안디옥 교인들도 성령을 통해 말씀하시는 주의 음성을 들었습니다. "내가 세계 선교를 위해 시킬 일이 있으니, 바나바와 사울을 그 일을 위해 보내라"라는 말씀을 들은 것입니다.

지금으로부터 140여 년 전, 미 동부 지역에 살던 20대 초반의 두 청년이 거의 동시에 주의 음성을 들었습니다. 1883년, 미국 코네

티켓 하트퍼드에서 열린 전국 신학생 대회에 한 청년은 뉴브런즈 윅 신학교(New Brunswick Theological Seminary) 대표로, 다른 한 청년 은 드류 신학교(Drew Theological University) 대표로 참석했는데, 그 곳에서 두 사람은 하나님께서 극동에 위치한 고요한 아침의 나 라, 조선에 선교의 문을 여신다는 소식을 듣고 조선 선교사로 가 라는 하나님의 음성을 들은 것입니다. 그리고 마침내 1885년 부활 절, 두 청년은 각각 26세, 27세의 나이로 인천 제물포항에 입항했 습니다. 이들이 바로 언더우드(Horace Grant Underwood)와 아펜젤러 (Henry Gerhard Appenzelle) 선교사입니다. 두 사람이 조선 땅을 바라 보며 기도한 것을 소설가 정연희는 자신의 작품《양화진》(홍성사)에 서 이렇게 묘사했습니다.

주여! 지금은 아무것도 보이지 않습니다.
주님, 메마르고 가난한 땅
나무 한 그루 시원하게 자라 오르지 못하고 있는 땅에
저희들을 옮겨와 심으셨습니다.
그 넓고 넓은 태평양을 어떻게 건너왔는지 그 사실이 기적입니다.

주께서 붙잡아 뚝 떨어뜨려 놓으신 듯한 이곳
지금은 아무것도 보이지 않습니다.
보이는 것은 고집스럽게 얼룩진 어둠뿐입니다.
어둠과 가난과 인습에 묶여 있는 조선 사람뿐입니다.

그들은 왜 묶여 있는지도, 고통이라는 것도 모르고 있습니다.
고통을 고통인 줄 모르는 자에게 고통을 벗겨 주겠다고 하면
의심부터 하고 화부터 냅니다.

조선 남자들의 속셈이 보이지 않습니다.
이 나라 조정의 내심도 보이질 않습니다.
가마를 타고 다니는 여자들을 영영 볼 기회가 없으면 어쩌나 합
니다.
조선의 마음이 보이지 않습니다.
그리고 저희가 해야 할 일이 보이질 않습니다.

그러나 주님, 순종하겠습니다.
겸손하게 순종할 때 주께서 일을 시작하시고
그 하시는 일을 우리들의 영적인 눈이 볼 수 있는 날이 있을 줄
을 믿나이다.
"믿음은 바라는 것들의 실상이요, 보지 못하는 것들의 증거니…"
라고 하신 말씀을 따라
조선의 믿음의 앞날을 볼 수 있게 될 것을 믿습니다.

지금은 우리가 황무지 위에 맨손으로 서 있는 것 같사오나
지금은 우리가 서양 귀신 양귀자라고 손가락질받고 있사오나
저희들이 우리 영혼과 하나인 것을 깨닫고,

하늘나라의 한 백성, 한 자녀임을 알고 눈물로 기뻐할 날이 있음을 믿나이다.

지금은 예배드릴 예배당도 없고 학교도 없고
그저 경계의 의심과 멸시와 천대함이 가득한 곳이지만
이곳이 머지않아 은총의 땅이 되리라는 것을 믿습니다.
주여! 오직 제 믿음을 붙잡아 주소서!

이렇게 하나님의 음성을 듣고 순종한 이들로 인해 우리가 지금 마음껏 신앙생활과 교회 생활을 하고 있는 것입니다. 정녕 주님은 살아 계십니다.

하나님의 소명에 순종함

주께서 안디옥 교인들에게 '시키실 일'이 있다고 말씀하십니다. 그것이 바로 미션과 소명입니다. 문제는 그들이 주님의 말씀에 얼마나 순종하느냐입니다. 순종에는 언제나 대가가 따릅니다. 안디옥 교인들은 세계 선교의 소명을 이루기 위해 그들이 사랑하는 지도자인 바나바와 바울을 내어 드려야 했고, 그들은 순종함으로 응답했습니다.

"이에 금식하며 기도하고 두 사람에게 안수하여 보내니라"(행 13:3).

이것이 바로 순종입니다. 그러나 만일 주께서 살아 계시지 않다면, 이 순종이 무슨 의미가 있겠습니까? 성경은 우리에게 죽은 자에 대한 순종을 명하지 않습니다. 부활하신 주님이 마지막으로 지상에서 주신 명령을 기억해 보십시오.

"예수께서 나아와 말씀하여 이르시되 하늘과 땅의 모든 권세를 내게 주셨으니 그러므로 너희는 가서 모든 민족을 제자로 삼아"(마 28:18-19).

이 말씀대로 지금도 주님의 음성을 듣고 기꺼이 대가를 지불하며 선교지로 나아가는 제자들이 있습니다. 그들 대부분은 자신들이 겪는 고난을 두려워하지 않고 오히려 영광스럽게 생각합니다. 만일 주께서 살아 계시지 않다면 불가능한 일입니다. 전 세계에 흩어져 복음을 전하는 선교의 증인들이야말로 주님께서 부활하신 증거가 됩니다. 주님의 소명에 순종하기 위해 희생의 값을 기쁘게 지불하는 모든 성도의 존재와 삶보다 더 강력한 부활의 증거가 또 어디 있겠습니까?

일본의 스기하라 지우네는 전통 사무라이 가문에서 태어나 예수를 믿게 된 그리스도인이었습니다. 기도 중에 외국 대사가 되어 복음을 열방에 전하라는 소명을 받은 그는 1930년에 리투아니아 총

영사로 임명되었습니다. 그리고 1940년 7월 어느 날 아침, 그는 인생의 큰 반전을 맞게 되었습니다.

그날 아침 그의 집무실 뜰에는 폴란드에서 나치 게슈타포의 체포를 피해 도망친 200-300명의 유대인이 모여 있었습니다. 그들은 모두 일본 비자를 발급받기를 원했습니다. 일본 비자만 있으면 다른 나라로 도망칠 수 있었기 때문입니다. 그러나 비자를 발급하려면 중앙 정부의 인가가 필요했습니다. 그는 즉시 동경(도쿄)에 전문을 보내어 발급 허가를 요청했지만 세 번이나 거절당했습니다.

그는 기도하는 가운데 주님의 인도를 구하며 성경을 읽었고, 그날 아침 펼쳐진 말씀은 "사람보다 하나님께 순종하는 것이 마땅하니라"(행 5:29)였습니다. 그는 어떤 대가를 치르더라도 유대인들을 구하는 것이 하나님의 뜻임을 확신했습니다. 그는 비겁하지 않고 주께 순종할 수 있는 용기를 달라고 기도한 뒤 비자 발급을 시작했습니다. 스기하라와 그의 아내, 아들 그리고 몇몇 동료는 중앙 정부 관리들이 출동해 그들을 해직시키고 끌어내기까지 약 28일 동안 6천 명에 달하는 유대인에게 비자를 발급해 주었습니다.

이로 인해 그와 그의 가족은 많은 어려움을 당했지만, 후일 이스라엘이 예루살렘 근교에 유대인 학살 기념관인 야드 바셈(Yad Vashem, 신의 손길)을 건립할 때 스기하라의 가족이 은인으로 초청받게 되었습니다. 그때 그 결정에 후회가 없었느냐는 한 유대인 기자의 질문에 스기하라의 아들이 가족을 대신해서 이렇게 대답했다고 합니다.

살아 계신 하나님께서 저희 아버지께 말씀하셨고, 아버지와 저희는 기꺼이 순종했을 따름입니다. 아무런 후회가 없습니다. 우리를 통해 당신들(유대인들)을 인도하신 살아 계신 하나님이 또한 우리의 남은 날도 인도하실 것을 믿고 있으니까요.

이것이 바로 부활 신앙입니다. 처음에 던진 '한두 사람으로 인해 세상이 바뀔 수 있느냐'는 질문에 스기하라는 어떤 대답을 할까요? 또 아펜젤러와 언더우드는 어떻게 대답할까요? 우리의 힘으로는 아무것도 못 합니다. 그러나 살아 계신 주님이 함께하시면, 세상은 바뀔 수 있습니다. 오늘의 한국, 오늘의 한국 교회가 그 증거입니다. 불과 140여 년 전 한 줌의 그리스도인도 없었던 이 땅에 지금은 수많은 교회가 세워지고 많은 그리스도인이 신앙생활을 하고 있습니다. 이 땅을 위해 순종하고 자신의 삶을 희생한 선교사들이 하늘나라에서 이 모습을 보며 하나님께 감사할 것입니다.

이제 우리의 차례입니다. 우리에게 말씀하시는 하나님의 음성을 듣고 순종할 시간입니다. 주의 보내심을 따라 주의 음성을 듣고 열방을 향해 나아갈 때입니다.

"루스드라에 발을 쓰지 못하는 한 사람이 앉아 있는데 나면서 걷지 못하게 되어 걸어 본 적이 없는 자라 바울이 말하는 것을 듣거늘 바울이 주목하여 구원받을 만한 믿음이 그에게 있는 것을 보고 큰 소리로 이르되 네 발로 바로 일어서라 하니 그 사람이 일어나 걷는지라"(행 14:8-10).

할 수 있는 일은
지금 행하라

복음은 항상
현재 진행형이다

바울의 치유 사역

사도행전 14장은 사도 바울의 제1차 전도 여행 중에 일어난 에피소드를 들려주고 있습니다. 여기서 잠시 바울과 바나바의 제1차 전도 여행의 일정을 조망해 보겠습니다.

제1차 전도 여행은 바나바, 바울 그리고 바나바의 조카인 마가 요한이 A.D. 46년에 안디옥을 떠나서 48년에 다시 안디옥으로 돌아오는 여정이었습니다. 바울과 바나바는 먼저 수리아 안디옥교회에서 파송을 받아 안디옥에서 약 30킬로미터 떨어진 실루기아 항구에서 배를 타고 구브로(키프로스)섬에 도착하여 바나바의 고향인 살라미에서 전도합니다. 이어서 바보라는 지역에서 로마 총독 서기오 바울을 전도한 다음, 다시 배를 타고 소아시아 앗달리아 항구에 도착하여 밤빌리아에 있는 버가를 거쳐 비시디아 안디옥(수리아 안디옥과 구별)에 도착하는데, 이 비시디아 안디옥에서 이방인 전도의 문이 열려 많은 이방인 신자의 열매를 얻습니다. 그 후 이고니온이라는 지역을 거쳐 루가오니아 지방의 루스드라라는 도시에 도착합니다.

이러한 여정 가운데 본문 말씀은 루스드라에서 일어난 사건을 다루고 있습니다. 지금까지 바울과 바나바는 전도 여행 중에 주로 복음을 전하는 말씀 사역에 전념했습니다. 그러나 루스드라에서는 장애인을 대상으로 치유 사역을 하는 모습을 보게 됩니다. 복음서에서도 예수님의 주된 사역은 복음을 전하고 가르치는 것이었지만, 말씀 사역과 동반한 것이 바로 치유 사역이었습니다.

말씀 사역이 영혼을 돌아보는 사역이라면, 치유 사역은 일차적으로 육체를 돌아보는 사역이라고 할 수 있습니다. 기독교는 결코 영혼만 돌아보고 육체를 등한시하는 종교가 아닙니다. 그래서 흔히 기독교 사역을 '전인 사역'(wholistic ministry)이라고 합니다. 또한 '전인 선교'(wholistic mission), '전인 복음'(wholistic gospel)이라는 말도 함께 사용합니다. 그렇다면 우리는 이런 장애인 치유 사역 혹은 돌봄 사역에 어떻게 동참할 수 있을까요?

하나님의 눈으로 바라보라

사도행전 14장 9절을 보면 "바울이 주목하여"라고 기록합니다. '주목'은 관심입니다. 혹시 최근에 당신의 곁을 지나가는 장애인들을 주목하여 보고 그들의 상태에 관심을 가져 본 일이 있습니까? 아니, 우선 이 땅에 얼마나 많은 장애인이 있는지 알고 있습니까?

우리나라 정부 통계에 의하면 2024년 12월을 기준으로 등록된 장애인만 약 263만 1천 명이라고 합니다. 그중에 제일 많은 유형이 지체 장애(약 113만 명)이며, 청각 장애(약 44만 명), 시각 장애(약 24만 명), 뇌병변 장애(뇌 손상, 뇌성마비, 뇌졸중 등, 약 23만 명), 지적 장애(약 23만 명), 나머지는 언어 장애, 정신 장애, 신장 장애, 호흡기 장애, 간 장애, 안면 장애, 장루 및 요루 장애, 뇌전증 장애 등입니다. 등록이 안 된 장애인들을 포함하면 약 500만 명으로 추정되는데, 무려 인구의 10분의 1 정도 되는 숫자입니다.

이 중 선천적 장애인은 매우 적고(10퍼센트 미만) 대부분은 후천적 장애인이라는 사실에 새삼 놀라게 됩니다. 후천적 장애인이 되는 요인으로는 출산, 전염, 질병, 산업 재해, 교통사고 등이 있습니다. 이는 비장애인도 모두 장애인이 될 수 있는 가능성이 있다는 뜻입니다. 사실상 우리는 모두 예비 장애인으로 이 땅에서 살아가고 있습니다. 그런데 어떻게 장애에 대해 무관심할 수 있겠습니까?

성경을 보면 예수님은 장애인들을 그냥 지나치지 않으셨습니다. 시각 장애인의 눈과 청각 장애인의 귀를 만지시고, 일어서지 못하는 지체 장애인의 손을 잡아 일으키시는 모습이 자주 등장하는 것을 볼 수 있습니다. 당시 유대 사회에서는 장애인의 몸을 만지는 일이 금기시되었지만, 예수님은 이런 사회적 금기를 깨뜨리셨습니다. 예수님의 눈에는 그들 모두가 정상인과 마찬가지로 하나님의 형상대로 지음 받은 소중한 존재였기 때문입니다. 이러한 예수님의 사랑의 손길이 치유의 기적을 가져왔고, 오늘날 장애인 사랑 운동의 정신적 기원이 된 것입니다.

예수님의 제자인 바울도 이런 예수님의 정신을 따라 장애인을 주목했습니다. 관심과 사랑은 주목에서 시작됩니다. 이제 우리도 주님의 눈으로 장애인을 바라보아야 합니다. 그것이 장애인 사역의 시작입니다.

믿음의 길로 인도하라

바울이 일어서지 못하는 장애인을 주목하며 제일 먼저 관심을 가진 것은, 그에게 구원받을 만한 믿음이 있느냐는 것이었습니다.

> "바울이 말하는 것을 듣거늘 바울이 주목하여 구원받을 만한 믿음이 그에게 있는 것을 보고"(행 14:9).

믿음은 모든 사람에게 필요하지만, 장애인의 인생에서는 더욱더 필요한 것입니다. 바울은 그가 믿음을 가지고 있다는 것을 말씀을 듣는 태도에서 발견했습니다.

> "믿음은 들음에서 나며 들음은 그리스도의 말씀으로 말미암았느니라"(롬 10:17).

믿음을 갖는다는 것은 예수 그리스도를 인생의 주인으로 영접하는 것을 뜻합니다. 예수님은 장애인들에게 인생의 주인이 되어 주셨습니다. 그들에게 있어 그분만큼 확실하고 안전한 인생의 안내자는 없을 것입니다. 그래서 장애인들에게 제공할 수 있는 여러 도움이 있겠지만, 무엇보다 먼저 그들을 믿음의 길로 인도하는 일이 필요합니다. 물고기가 필요한 사람에게 물고기를 주는 것도 중요하지만, 물고기 잡는 방법을 가르치는 것이 더욱 의미 있지 않겠습니까? 장애인들이 예수님을 믿도록 인도하는 것은, 그들에게 우리가 줄 수 있는 어떤 도움보다 더 근본적이고 본질적인 도움이 됩니다.

오늘날 복음주의권 교회들에서 사회봉사 운동이 일어나고 사회적 약자들에 대한 책임 의식이 깨어나고 있다는 사실은 참 감사하고 기쁜 일입니다. 그러나 우리는 이런 사회적 책임을 감당하면서도 복음 전도의 우선순위를 결코 망각해서는 안 됩니다.

우리가 이웃에게 줄 수 있는 가장 위대한 선물, 그 무엇으로도 대신할 수 없는 것은 바로 복음입니다. 복음은 예수 그리스도를 믿음으로써 우리가 의롭다 함을 얻고 죄 사함을 받는 것입니다. 장애인 이웃들에게도 가장 본질적인 필요가 복음인 것을 우리는 한순간도 잊지 말아야 할 것입니다.

할 수 있는 도움을 제공하라

복음서를 보면 예수님이 중풍 병자를 고칠 때 가장 먼저 하신 일이 그로 하여금 죄 사함의 확신을 갖게 하는 것이었습니다. "네 죄가 사함을 받았느니라"라고 말씀하신 것입니다. 그것이 그의 근본적인 영적 필요임을 예수님은 알고 계셨습니다. 아마도 그는 마음 깊은 곳에 죄책감의 갈등을 안고 살고 있었는지도 모릅니다. 그러나 예수님의 도움은 거기에 그치지 않았습니다. 주님은 이어서 "네 상을 들고 일어나 걸어가라"라고 말씀하셨습니다. 예수님으로서는 줄 수 있는 도움이었기에 그 일도 하신 것입니다.

우리가 이웃들에게 영적 도움만 제공하고 그들의 실제적인 필요를 눈감아 버린다면, 그들은 우리의 사랑의 진정성을 의심할지 모릅니다. 그래서 우리는 할 수 있는 도움을 결코 외면해서는 안 됩니다. 사도 바울도 걷지 못하는 지체 장애인을 향해 명합니다.

> "큰 소리로 이르되 네 발로 바로 일어서라 하니 그 사람이 일어나 걷는지라"(행 14:10).

이 부분은 당시의 사도들이 할 수 있도록 위임된 일이었습니다.

> "두 사도가 오래 있어 주를 힘입어 담대히 말하니 주께서 그들의 손으로 표적과 기사를 행하게 하여 주사 자기 은혜의 말씀을 증언하시니"(행 14:3).

할 수 없는 일이었다면 그들은 감히 시도하지도 않았을 것입니다. 사실 우리가 모든 일을 다 할 수 있다고 생각하는 것은 우리가 피조물임을 망각한 행동입니다. 흥미로운 사실은, 바나바와 바울이 표적과 기사를 행할 때 그것이 자기들의 능력이 아님을 분명히 인지하고 있었다는 것입니다. 그래서 이 기적 사건 이후에 루스드라에 사는 사람들이 바울과 바나바를 신으로 추앙하고 그들에게 제사를 바치려 하자, 그들이 옷을 찢으며 만류하고 제지하는 모습을 볼 수 있습니다(행 14:11-18 참조).

바나바와 바울은 기적을 행하면서도 그것이 자신들의 능력으로 말미암지 않은 것을 분명히 알고 있었고, 자신들은 한계를 지닌 인간임을 잊지 않으려 했습니다. 만일 하나님이 이 사건에서 사도 바울의 일행에게 기적을 행하도록 위임하지 않으셨다면, 사도들은 자신들이 할 수 있는 다른 도움의 방법이나 길을 찾았을 것입니다.

우리는 보통 기적을 정의할 때 '우리가 할 수 없는 일을 행하는 것'이라고 말합니다. 그러나 성경적 기적은 우리가 할 수 없는 일을 시도함에서 비롯된 것이 아니라, 할 수 있는 일을 기꺼이 하고자 했을 때 일어난 것들이었습니다. 하나님께서는 모세에게 "네 손에 있는 것이 무엇이냐"라고 물으셨습니다. 모세가 '지팡이'라고 하자 하나님은 "지팡이를 네 손에 잡으라"라고 말씀하셨습니다. 모세가 순종하여 그 지팡이를 손에 잡는 순간, 하나님은 바로 그 지팡이를 통해 기적을 행하셨습니다. 예수님의 오병이어 기적도 "너희들이 가진 것이 무엇이냐"라는 질문에서 시작되었습니다. "한 어린아이가 떡 다섯 개와 물고기 두 마리를 가지고 있습니다"라고 보고하자 예수님은 그것을 가져오라고 말씀하셨고, 그 오병이어가 예수님께 드려지는 순간 놀라운 기적이 일어난 것입니다.

1930년대 미국 경제 대공황을 해결한 해결사는 뜻밖에도 장애인 대통령, 프랭클린 루스벨트(Franklin Roosevelt, 미국 제32대 대통령)였습니다. 그는 39세에 소아마비로 하반신이 마비되는 장애를 겪으며 모든 것을 포기하고자 했습니다. 그때 아내 엘리너(Anna Eleanor Roosevelt)가 물었습니다.

"당신은 왜 포기하려 하세요?"

프랭클린은 "내가 이 몸으로 무슨 일을 할 수 있단 말이오?"라고 되물었습니다. 그러자 엘리너가 대답했습니다.

"제가 당신의 손과 발이 되어 드릴게요."

그 말을 들은 프랭클린 루스벨트는 다시 일어나 놀라운 역사를 이루어 냈습니다.

당신의 주변을 돌아보며 예수님의 시선으로 장애 이웃들을 주목해 보십시오. 그들에게 하나님의 사랑과 예수 그리스도의 구원 이야기를 들려주십시오. 그들의 가능성을 믿고, 우리가 할 수 있는 방법을 고민해 작은 미소부터 시작해서 필요한 도움을 기꺼이 제공해 보십시오. 예수님처럼 그리고 예수님의 제자였던 사도 바울처럼 말입니다. 그때 세상은 우리가 진정한 예수님의 제자임을 알게 될 것입니다.

"며칠 후에 바울이 바나바더러 말하되 우리가 주의 말씀을 전한 각 성으로 다시 가서 형제들이 어떠한가 방문하자 하고 바나바는 마가라 하는 요한도 데리고 가고자 하나 바울은 밤빌리아에서 자기들을 떠나 함께 일하러 가지 아니한 자를 데리고 가는 것이 옳지 않다 하여 서로 심히 다투어 피차 갈라서니 바나바는 마가를 데리고 배 타고 구브로로 가고 바울은 실라를 택한 후에 형제들에게 주의 은혜에 부탁함을 받고 떠나 수리아와 길리기아로 다니며 교회들을 견고하게 하니라"(행 15:36-41).

13

문제아도 문제만 풀리면
큰일을 할 수 있다

복음은 과거가 아닌
미래를 보고 투자한다

문제아, 마가 요한

이 사람이 누구인지 알아맞혀 보십시오. 그는 열한 살의 나이에 가정의 골칫덩이가 되었습니다. 우리 식으로 표현하면 문제아가 된 것입니다. 그는 방 정리, 저녁 식사 시간 지키기 등을 제일 싫어했고, 연필을 자주 깨물어 어머니와 종종 다투었습니다. 그의 누이는 그가 성질이 더러웠다고 회고합니다. 그의 아버지는 변호사였습니다. 그는 좋은 학업 조건과 가정 환경을 제공받았음에도 불구하고 매사에 반항적이었습니다.

열두 살이 된 어느 날, 그가 식탁에서 어머니와 심한 언쟁을 벌이

자 아버지가 더 이상 참지 못하고 컵에 든 찬물을 그의 얼굴에 끼얹고 말았습니다. 그는 "샤워시켜 주셔서 고맙네요"라는 냉소적인 말 한마디를 남기고 자기 방으로 들어갔습니다. 이 사건은 소년에게 너무나 큰 충격을 주어, 그날 이후로 소년은 아무 말도 하지 않고 학교에서 돌아오면 조용히 식사만 하고 자기 방으로 들어갔습니다. 부모는 결국 아들을 상담 전문가에게 데리고 갔습니다. 소년은 상담자에게 자신은 고장 난 사람이 아니라 부모와 전쟁 중이라고 말했습니다. 상담자는 소년의 부모에게 감독을 완화하고 자유를 더 많이 주어야 한다고 전했습니다.

그는 사립 학교로 이전하여 비로소 자신만의 시간을 갖게 되었지만, 학교 공부보다는 백과사전 등을 탐독하고 컴퓨터에만 열중하는 유별난 학습 행태를 보였습니다. 다행히도 자신이 두각을 나타낸 일면이 인정되어 미국 최고의 명문대학에 입학했지만, 회사를 설립하여 사업을 시작하겠다는 이유로 학업을 중단하고 뉴멕시코주로 떠나 버렸습니다. 이 사람이 바로 마이크로소프트사를 설립한 빌 게이츠(Bill Gates)입니다.

본문 말씀에도 한 문제아의 사건이 기록되어 있습니다. 때는 바야흐로 바울의 제2차 전도 여행이 시작되는 시점이었습니다. 이때 마가 요한을 데리고 갈 것인가 말 것인가를 둘러싸고 바나바와 바울 사이에 논쟁이 벌어졌습니다. 성경 말씀을 보면 이들이 심히 다투어 피차에 갈라섰다고 기록하고 있습니다. 그렇다면 도대체 무슨 문제가 있었던 것일까요?

"바울은 밤빌리아에서 자기들을 떠나 함께 일하러 가지 아니한 자를 데리고 가는 것이 옳지 않다 하여"(행 15:38).

그러니까 제1차 전도 여행 중 밤빌리아 지방 버가라는 지역에서 마가 요한이 더 이상 여행을 함께할 수 없다고 하고는 바울과 바나바를 떠나 중간에 땡땡이를 친 것입니다. 바울은 이런 문제아를 용납할 수 없다고 생각했습니다.

자녀를 키우다 보면 '내 자식이지만 더 이상 용납할 수 없다'고 생각할 만큼 자식이 문제아가 될 때가 있습니다. 그렇다면 우리는 마가 요한의 이야기가 던져 주는 교훈에 주목할 필요가 있습니다.

누구나 문제아가 될 수 있다

우리는 보통 문제아라고 하면 비정상적이고 역기능적인 가정에서 자라난 아이들을 연상하기 쉽습니다. 그러나 현실은 매우 다르다는 것이 청소년 문제를 연구하는 이들의 공통된 견해입니다. 지극히 정상적이고 좋은 환경 그리고 믿음이 좋은 부모 아래서도 자녀들이 일시적으로 문제아의 증상을 드러낼 수 있다는 것입니다. 마가 요한의 경우가 이를 입증합니다.

마가 요한이라는 이름을 살펴보면, '마가'는 로마식 이름이고 '요한'은 유대식 이름입니다. 요한은 '하나님은 은혜로우시다'(God is gracious)라는 뜻을 지니고 있습니다. 그의 부모가 신앙인이었기에 이러한 이름을 지어 주었으리라 짐작할 수 있습니다. 예루살렘교회가 종종 그의 집 다락방을 빌려 모인 것으로 미루어 볼 때 그의 집안은 넉넉한 재정적 여유가 있었고, 다락방을 교회의 모임 장소로 내어 줄 만큼 헌신적인 신앙을 가지고 있었습니다. 또한 사도 베드로는 그를 "내 아들 마가"(벧전 5:13)라고 부르기도 했습니다.

마가 요한은 자신의 집 다락방에 성령이 임하셨을 때 아마 그곳에 있었을 것입니다. 그럼에도 불구하고 그는 한때 시험에 빠져 바울과 바나바의 근심거리가 되었습니다. 이처럼 문제아는 따로 있는 것이 아니라, 누구든 일시적으로 문제아가 될 수 있습니다.

학자들은 마가 요한이 제1차 전도 여행의 여정에서 이탈한 이유를 여러 가지로 추정해 봅니다. 어떤 사람은 밤빌리아 버가에서 비시디아 안디옥으로 여행할 타우루스(토로스) 산길(약 200킬로미터의 험한 산길)이 너무 험준하여 부잣집 아들 마가가 미리 겁먹고 떠난 것이라고 하고, 어떤 사람은 본래부터 밤빌리아 버가까지가 그의 목표 여정이었을 것이라고 말합니다. 또 어떤 사람은 그가 떠나온 고향에 대한 향수 때문이었다고 말하기도 하고, 어떤 사람은 전도 여행의 도상에서 겪기 시작한 박해와 환난 때문이라고 말하기도 합니다.

어쨌거나 그는 전도 여행에 도움이 되기보다 오히려 짐이 되었고, 이런 그가 다시 제2차 전도 여행의 골칫거리가 된 것입니다. 그러나 그의 인생 여정이 이렇게 끝나지 않았다는 사실에 우리는 감사해야 합니다. 그는 인생 여행을 통해 문제아의 이미지를 마침내 극복할 수 있었습니다. 그러므로 우리는 문제아가 문제를 풀고 나면 전혀 다른 인생을 살 수도 있다는 것을 믿어야 합니다.

문제아의 곁에도 누군가가 있어야 한다

마가 요한이 문제아의 인생을 극복한 데는 무엇보다 바나바의 역할이 컸다고 학자들은 말합니다. 바울은 그를 포기했지만, 바나바는 그를 포기하지 않았습니다. 물론 마가 요한이 바나바의 조카였기 때문이라는 견해도 있지만, 바울을 비롯하여 그 누구도 마가 요한을 믿어 주지 않을 때 유일하게 편을 들어 준 사람이 바나바였습니다.

"바나바는 마가라 하는 요한도 데리고 가고자 하나"(행 15:37).

그러나 바울이 반대하자, 그는 심히 다툰 후 마가를 데리고 구브로로 가 버립니다.

"서로 심히 다투어 피차 갈라서니 바나바는 마가를 데리고 배 타고 구브로로 가고"(행 15:39).

구브로는 바나바의 고향입니다. 후일 바나바와 마가의 전도로 구브로섬은 완전히 복음화됩니다. 바울이 마가 요한만은 안 된다고 소리칠 때, 아마도 바나바는 조용히 이렇게 말했을 것입니다.

"내가 당신 바울을 믿은 것처럼, 나는 마가 요한을 믿습니다."

이런 바나바로 말미암아 마가는 변화될 수 있었습니다.

빌 게이츠의 아버지는 아들의 얼굴에 물을 퍼부은 일을 깊이 뉘우치고, 그 후로는 아들의 조용한 후원자로 변했습니다. 그는 늘 이렇게 말했다고 합니다.

제가 아들을 위해 한 일은 아무것도 없습니다. 저는 아들을 믿었습니다. 그가 하버드를 그만둔다고 할 때도 제가 한 말은 한마디였습니다. '아들아, 난 너를 믿는다.'

빌 게이츠는 이러한 아버지를 믿고 따랐으며, 세계 최대 규모의 자선 재단을 설립할 때 그 모든 관리를 아버지에게 맡겼습니다. 〈월스트리트 저널〉은 빌 게이츠의 아버지가 우리 시대 최대 자선 재단을 출범하는 데 결정적인 역할을 한 인물로 후세에 알려질 것이라며 그의 역할에 경의를 표했습니다. 결국 아버지의 믿음이 아들의 미래를 만든 힘이었던 것입니다.

지금 방황하거나 반항하는 자녀로 인해 속상한 부모가 있다면, 아이들에게 이렇게 말해 주십시오. "아들아(딸아), 세상이 너를 믿지 못하고, 학교가 너를 믿지 못하고, 친구가 너를 믿지 못해도 난 너를 믿는다"라고 말입니다.

문제아도 하나님 나라의 재목이 될 수 있다

마가 요한은 후일 로마에서 다시 바울을 만나게 됩니다. 그때 마가 요한은 더 이상 철부지가 아니었습니다. 그는 성숙한 그리스도의 제자가 되어 복음을 전하고 있었습니다. 그리고 감옥에 갇힌 바울의 곁에 다가와 함께 옥살이를 하며 바울의 시중을 들었습니다. 바울이 이런 마가에 대해 어떤 소감을 갖게 되었을까요? 우리는 어떤 사람에 대한 선입견을 좀처럼 바꾸지 않습니다. 그러나 바울은 달랐습니다.

> "나와 함께 갇힌 아리스다고와 바나바의 생질 마가와 (이 마가에 대하여 너희가 명을 받았으매 그가 이르거든 영접하라) 유스도라 하는 예수도 너희에게 문안하느니라 그들은 할례파이나 이들만은 하나님의 나라를 위하여 함께 역사하는 자들이니 이런 사람들이 나의 위로가 되었느니라"(골 4:10-11).

사도 바울은 마가를 포함한 동역자들이 자신에게 위로가 되었다고 말합니다. 그래서 마가가 도착하거든 그를 잘 영접해 달라고 부탁한 것입니다.

디모데후서는 바울의 마지막 유언과도 같은 편지라고 할 수 있습니다. 이러한 바울의 마지막 편지에 다시 마가 요한이 등장합니다.

"누가만 나와 함께 있느니라 네가 올 때에 마가를 데리고 오라 그
가 나의 일에 유익하니라"(딤후 4:11).

마가 요한은 더 이상 트러블 메이커가 아니었습니다. 그는 하나
님 나라의 유익한 존재, 하나님 나라에 없어서는 안 될 재목으로 변
화된 것입니다.

하나님 나라를 향한 그의 기여는 여기에서 끝나지 않습니다. 그
는 마가복음을 집필했습니다. 마가 요한이야말로 예수님의 생애를
증언하기에 가장 합당한 제자였습니다. 그는 자신의 집 다락방에
서 행해진 예수님과 제자들의 마지막 만찬과 역사적인 성령 강림
을 목격한 제자였습니다. 누구보다도 사도 베드로와 가까워 그의
믿음의 아들로 불렸으며, 사도 바울의 말년에는 그의 곁을 지키며
복음을 전한 사도였습니다.

성경학자들은 사복음서 중 제일 먼저 기술된 복음서, 즉 예수님
의 생애를 처음으로 증언한 복음서가 바로 마가복음이었다고 말합
니다. 한때 문제아였던 그가 하나님 나라에 유익한 인물로 살게 된
것입니다. 그 이유는, 바나바가 포기하지 않고 곁에서 그를 세워
주었기 때문입니다.

다시 빌 게이츠의 이야기를 해 볼까 합니다. 빌 게이츠는 하버드
대학교를 중퇴했지만, 2007년 6월 7일, 중퇴한 지 32년 만에 하버
드대학교로부터 명예 졸업장을 받고 졸업식에서 연설을 하게 되
었습니다.

저는 아버지에게 언젠가 하버드로 다시 돌아가 학위를 받아 올 거라고 항상 말해 왔는데, 이 말을 이루기 위해 30년 이상을 기다려 왔습니다. 저는 내년에 직업이 바뀔 텐데, 제 이력서에 대학 학위가 있다는 것은 매우 기분 좋은 일입니다.

이 말은, 그가 이제부터는 돈을 버는 사람이 아니라, 자신이 번 돈으로 자선을 실천하는 새로운 삶을 살겠다는 선언이었습니다. 이런 결심을 한 배경에 대해 그는 이렇게 말합니다.

제가 이 학교에 입학했을 때, 어머니는 단순히 성공한 사람이 아니라 많이 베푸는 사람이 되라고 말씀하셨습니다. 제가 결혼식을 올리기 며칠 전에는 결혼 피로연을 열고 저의 아내 멜린다에게 쓴 편지를 큰 소리로 읽어 주셨습니다. 당시 어머니는 암으로 투병 중이셨는데, 메시지를 전할 수 있는 마지막 기회라고 생각하고 이런 내용을 덧붙이셨습니다. "많은 것을 받은 사람들에게는 보다 많은 의무가 요구된다."

이것이 그가 조기 은퇴를 선언하고 자선 사업에 나머지 인생을 바치겠다고 한 이유였습니다. 우리는 모두 실수할 수 있습니다. 그러나 중요한 것은 인생의 결론입니다. 우리의 자녀들이 인생의 마지막을 결산하는 날, 주님이 자녀들의 삶을 바라보며 "그는 나의 일에 유익한 존재였느니라"라고 말씀하실 수 있기를 바랍니다.

"바울이 더베와 루스드라에도 이르매 거기 디모데라 하는 제자가 있으니 그 어머니는 믿는 유대 여자요 아버지는 헬라인이라 디모데는 루스드라와 이고니온에 있는 형제들에게 칭찬받는 자니 바울이 그를 데리고 떠나고자 할새 그 지역에 있는 유대인으로 말미암아 그를 데려다가 할례를 행하니 이는 그 사람들이 그의 아버지는 헬라인인 줄 다 앎이러라 여러 성으로 다녀갈 때에 예루살렘에 있는 사도와 장로들이 작정한 규례를 그들에게 주어 지키게 하니 이에 여러 교회가 믿음이 더 굳건해지고 수가 날마다 늘어 가니라"(행 16:1-5).

14

죽음으로 받은
값진 유산을 소중히 여기라

말씀으로
자녀를 멘토링하라

칭찬받는 제자

기독교 역사에서 가장 위대한 족적을 남긴 사람을 말하라고 한다면 제일 먼저 사도 바울을 꼽을 것입니다. 그러나 사도 바울에게 "어떻게 짧은 인생을 살면서 그렇게 위대한 일을 할 수 있었습니까?"라고 질문한다면, 그는 틀림없이 "내가 한 일의 대부분은 나의 제자 디모데가 없었다면 할 수 없는 일이었습니다"라고 대답할 것입니다. 바울은 디모데를 빌립보로 보내기로 하면서 그들의 사정을 디모데보다 더 진실하게 살필 수 있는 사람은 없다고 말합니다(빌 2:19-20 참조). 그러고는 이어서 이렇게 말합니다.

"디모데의 연단을 너희가 아나니 자식이 아버지에게 함같이 나와
함께 복음을 위하여 수고하였느니라"(빌 2:22).

자식이 아버지에게 하는 것처럼 디모데가 바울의 복음 사역에 동
참했다는 것입니다. 이보다 더 의미 있고 신뢰하는 말이 또 어디 있
을까요? 바울은 그의 마지막 유언 같은 두 차례의 편지를 디모데에
게 남깁니다. 그것이 바로 디모데전·후서입니다. 우리는 신약성경
의 적지 않은 부분이 바울의 서신서인 것을 잘 알고 있습니다. 바
울의 편지 중 여섯 개가 디모데와 함께 공동으로 쓴 것입니다. 고
린도후서, 빌립보서, 골로새서, 데살로니가전·후서 그리고 빌레몬
서가 그것입니다.

앞서 그리스도인이 되는 데에는 두 가지 유형이 있다고 했습니
다. 하나는 바울형으로, 예수님을 알지 못하고 살다가 어느 날 갑
자기 예수님을 만나 회심하는 경우입니다. 그리고 다른 하나는 기
독교적 환경에서 자라나 자연스럽게 좋은 그리스도인이 되는 경우
인데, 대표적으로 디모데형이라고 말합니다. 그렇기에 그리스도인
부모들의 가장 간절한 소원은 자녀들이 디모데와 같은 그리스도의
제자가 되는 것일 것입니다.

바울은 제1차 전도 여행을 하면서 루스드라 지방에서 걷지 못하
는 지체 장애인을 치유하는 등의 기적을 행하며 복음을 전했습니
다. 아마도 그때 거기서 바울이 처음 디모데를 만났던 것으로 보입
니다. 그 후 바울은 제2차 전도 여행을 시작하면서, 제1차 전도 여

행 때 방문했던 지역들을 다시 찾아가 복음을 받아들인 이들의 믿음을 더욱 견고히 하는 데 목적을 두었습니다.

"며칠 후에 바울이 바나바더러 말하되 우리가 주의 말씀을 전한 각 성으로 다시 가서 형제들이 어떠한가 방문하자 하고"(행 15:36).

그래서 이번에는 수리아 안디옥에서 육로로 루스드라에 도착합니다.

"바울이 더베와 루스드라에도 이르매 거기 디모데라 하는 제자가 있으니 그 어머니는 믿는 유대 여자요 아버지는 헬라인이라 디모데는 루스드라와 이고니온에 있는 형제들에게 칭찬받는 자니"(행 16:1-2).

여기서 우리는 디모데에 대한 두 가지 표현을 볼 수 있습니다. 1절에서는 '제자 디모데'라 했고, 2절에서는 '칭찬받는 자'라고 했습니다. 그렇다면 우리 자녀들은 어떻게 해야 디모데처럼 칭찬받는 주의 제자가 될 수 있을까요?

홈 스쿨링의 정신을 회복하라

디모데가 좋은 제자로 성숙해 간 첫째 배경은 그의 가정이었습니다. 물론 디모데의 경우 어머니의 신앙의 영향이 깊었던 것으로 보입니다. 성경은 디모데의 어머니가 '믿는 유대 여자'임을 강조하고 있습니다. 우리는 사도 바울이 디모데에게 직접 보낸 편지의 기록에서도 디모데의 어머니의 신앙을 엿볼 수 있습니다.

"이는 네 속에 거짓이 없는 믿음이 있음을 생각함이라 이 믿음은 먼저 네 외조모 로이스와 네 어머니 유니게 속에 있더니 네 속에도 있는 줄을 확신하노라"(딤후 1:5).

디모데의 신앙의 유산은 그의 외조모 때부터 시작되었고, 바울은 그들의 믿음을 '거짓이 없는 믿음'이라고 칭하고 있습니다. 대부분의 영어 번역은 이 대목을 '성실한 믿음'(sincere faith)으로 표현합니다. 이러한 성실한 믿음의 어머니와 외할머니가 있었기에 디모데가 믿음 안에서 자랄 수 있었던 것입니다.

사실상 가정은 우리가 태어나 첫째로 경험하는 학교이며, 어머니와 아버지는 인생의 첫 번째 교사라 할 수 있습니다. 현재 학교 교육은 대체로 만 5세가 되어야 시작되지만, 심리학자들은 그때 이미 교육의 80퍼센트가 이루어진 상태라고 말합니다. 우리의 가장 소중한 인생의 영향이 바로 부모에게서 유래하고 있는 것입니다. 그러기에 부모의 가르침이야말로 자녀 인생의 기초가 됨을 잊지 말아야 합니다.

오늘날 우리 시대의 부모들이 교육의 책임을 학교나 교회, 사회에만 전가하고 가정에서의 일차적 교육의 책임을 회피하는 것은 엄격하게 말해 직무 유기입니다. 그래서 저는 목회할 때 가정 교육의 책임을 다하고자 홈 스쿨링을 지원했습니다.

우리가 학교 교육을 비판하는 것은 쉽지만, 그보다 더 중요한 것은 대안을 찾는 일입니다. 이미 미국을 비롯한 전 세계의 많은 그리스도인이 우리 시대의 성경적 교육의 대안으로 홈 스쿨링 운동에 적극적으로 참여하고 있습니다. 저는 이 시대의 부모들이 조금만 헌신하면 적은 비용으로도 충분히 자녀를 교육할 수 있다고 생각합니다. 가족이 떨어져 지내야 하는 비교육적이요, 비성경적인 기러기 교육의 대안으로 홈 스쿨링이 새로운 희망이 될 수 있다고 믿는 것입니다. 디모데는 바로 이런 홈 스쿨링의 산물이었다고 할 수 있습니다.

멘토링 교육을 위해 기도하라

제자 디모데의 삶과 신앙을 만든 요인은 멘토링이었습니다. 이 멘토링은 디모데가 바울 같은 스승을 만남으로 가능했습니다. 한 사람이 인생을 제대로 살아가기 위해 필요한 세 가지 만남이 있습니다. 하나는 부모와의 만남, 또 하나는 배우자와의 만남 그리고 마지막은 좋은 스승과의 만남입니다. 그러므로 우리 부모들은 자녀들이 좋은 스승, 좋은 배우자를 만나도록 끊임없이 기도해야 합니다. 이런 면에서 디모데에게 있어 바울과의 만남은 참으로 중요한 것이었습니다.

바울은 이미 제1차 전도 여행을 통해 디모데를 만났습니다. 그러다가 제2차 전도 여행 때 다시 루스드라에서 그를 만나 그때부터 제자로 삼고 전도 여행에 동반합니다. 아마 2년의 기간 동안 그의 가능성과 신뢰성을 성찰했을 것입니다. 그리고 그가 '칭찬받는 자'임을 확인하고 제자로 영입한 것입니다. 그 순간부터 바울은 디모데의 멘토였고, 디모데는 바울의 멘토링의 수혜자가 되었습니다.

'멘토'는 '멘토르'(mentor)라는 이름에서 유래된 말로, 고대 그리스의 대서사시 《오디세이아》에 나오는 이름입니다. B.C. 1200년경, 고대 그리스 이타카 왕국의 왕 오디세우스(Odysseus)가 유명한 트로이 전쟁에 출전하며 자기의 사랑하는 아들을 가장 믿을 만한 친구에게 맡기고 떠났는데, 그의 이름이 바로 '멘토르'였습니다. 오디세우스가 전쟁에서 돌아오기까지 약 10년간 멘토르는 왕자의 친구로, 스승으로 그리고 상담자와 부모로서의 역할을 감당했습니다. 여기에서 유래되어 '멘토'는 지혜와 신뢰로 한 사람의 인생을 이끌어 주는 지도자를 통칭하는 단어가 되었습니다.

따라서 멘토링(mentoring)이란, 한 사람이 다른 사람과 인격적인 관계를 맺고 그 사람의 인생을 세워 주는 일련의 과정을 의미합니다. 학교나 교회는 이러한 멘토를 만날 수 있는 좋은 기회를 제공하는 곳이라 할 수 있습니다. 이런 때에 부모들은 자신의 약점이나 한계를 넘어 자녀들이 좋은 영향을 받을 수 있도록 멘토링 교육을 위해 기도해야 할 것입니다. 무엇보다 자녀들이 좋은 멘토를 만날 수 있도록 기도하십시오.

쉐마-성경 교육을 회복하라

디모데의 어머니나 혹은 바울이 디모데의 멘토로서 그를 양육할 때 어떤 교과 과정을 거쳤을까요? 정답은 성경 교육입니다.

> "그러나 너는 배우고 확신한 일에 거하라 너는 네가 누구에게서 배운 것을 알며 또 어려서부터 성경을 알았나니 성경은 능히 너로 하여금 그리스도 예수 안에 있는 믿음으로 말미암아 구원에 이르는 지혜가 있게 하느니라 모든 성경은 하나님의 감동으로 된 것으로 교훈과 책망과 바르게 함과 의로 교육하기에 유익하니"(딤후 3:14-16).

여기서 '모든 성경'이란 무엇일까요? 사실 바울이 이 말을 기록할 때 신약은 거의 존재하지 않았습니다. 성경은 주로 구약이었고, 이 구약의 교훈을 유대인들은 전통적으로 '쉐마'라 불렀습니다.

만일 우리가 유대인들에게 구약에서 가장 중요한 말씀이 무엇이냐고 물으면, 그들은 지체하지 않고 신명기 6장 4-7절을 말할 것입니다.

> "이스라엘아 들으라[쉐마] 우리 하나님 여호와는 오직 유일한 여호와이시니 너는 마음을 다하고 뜻을 다하고 힘을 다하여 네 하나님 여호와를 사랑하라 오늘 내가 네게 명하는 이 말씀을 너는 마음에 새기고 네 자녀에게 부지런히 가르치며 집에 앉았을 때에든지 길을 갈 때에든지 누워 있을 때에든지 일어날 때에든지 이 말씀을 강론할 것이며."

《부모여, 자녀를 제자 삼아라》(쉐마)의 저자인 현용수 목사님은 앞의 말씀을 '수직적인 지상 명령'이라고 부릅니다. 그는 이 시대의 그리스도인들이 수평적인 지상 명령, 곧 이웃에게 전도하라는 명령에는 관심을 가지면서도 우리 자녀들에게 하나님의 말씀을 가르치는 수직적인 제자 훈련, 곧 쉐마 교육에는 무관심했다고 지적합니다.

바울이 제자 디모데와 함께 전도 여행을 떠나면서 그에게 할례를 받게 한 것은, 한편으로는 그가 앞으로 유대인들에게 복음을 전할 때 장해 요인이 되지 않도록 하기 위함이었지만, 또 한편으로는 구원받은 그리스도인들도 율법을 중시한다는 사실을 보여 주기 위한 것이기도 했습니다. 현용수 목사님의 글을 그대로 인용해 보겠습니다.

수직적 선민 교육은 대부분 구약성경의 쉐마와 관련이 있다. 유대인은 가정에서부터 부모가 혈통적 자녀에게 율법(말씀)을 전수시켜 그들을 말씀 맡은 자로 키워 영적인 말씀의 제자로 삼는 선민 교육을 가장 잘 실천한 민족이다. 이것이 그들의 생존의 비밀이다.

그는 계속해서 이렇게 말합니다.

신약의 중심 주제가 구원을 위한 복음이라면 구약의 중심 주제는 선민 교육, 쉐마, 곧 기독교 교육이라고 말할 수 있다. 다른 말로 표현한다면, 신약의 중심 주제인 복음이 구원의 열쇠라면 구약의 중심 주제인 쉐마는 자녀 교육의 열쇠라고 말할 수 있다.

바로 이런 쉐마 교육을 등한히 한 것이 오늘날 많은 기독교 가정이 자녀들을 믿음 위에 세우지 못한 원인이라고 그는 지적합니다. 지금부터라도 쉐마-성경 교육이 우리 가정에서 시급히 회복되어야 할 것입니다.

미국의 영향력 있는 부흥 전도자 중에 M. B. 윌리엄스(Milan Bertrand Williams)라는 분이 있습니다. 그가 어느 날 큰 신앙 대회를 앞두고 '가정과 성경'이라는 주제로 설교하기에 앞서 찬송 인도자였던 찰스 D. 틸만(Charles Davis Tillman)에게 주제가 작곡을 부탁했습니다. 그런데 오히려 거꾸로 "목사님이 작사를 해 주시지요"라는 요청을 받게 되었습니다. "제가요?" 하고 눈을 감는 순간, 어린 시절 자기를 무릎 위에 올려놓고 성경을 읽어 주며 기도하던 어머니의 모습이 떠올랐습니다. 그는 하염없이 눈물을 흘리기 시작했습니다. 그러고는 성경책 뒷장에 떠오르는 시상을 글로 써 내려갔습니다. 그것이 바로 〈나의 사랑하는 책〉(새찬송가 199장) 입니다.

(1절)

나의 사랑하는 책 비록 해어졌으나

어머니의 무릎 위에 앉아서

재미있게 듣던 말 그때 일을 지금도

내가 잊지 않고 기억합니다

(4절)

그때 일은 지나고 나의 눈에 환하오

어머니의 말씀 기억하면서

나도 시시때때로 성경 말씀 읽으며

주의 뜻을 따라 살려 합니다

(후렴)

귀하고 귀하다 우리 어머니가 들려주시던

재미있게 듣던 말 이 책 중에 있으니

이 성경 심히 사랑합니다

우리를 성경으로 교육시킨 부모님에게 감사하면서, 우리 역시 자녀들을 하나님의 말씀으로 양육하는 부모가 되기로 결심해야 할 것입니다.

"성령이 아시아에서 말씀을 전하지 못하게 하시거늘 그들이 브루기아
와 갈라디아 땅으로 다녀가 무시아 앞에 이르러 비두니아로 가고자 애
쓰되 예수의 영이 허락하지 아니하시는지라 무시아를 지나 드로아로
내려갔는데 밤에 환상이 바울에게 보이니 마게도냐 사람 하나가 서서
그에게 청하여 이르되 마게도냐로 건너와서 우리를 도우라 하거늘 바
울이 그 환상을 보았을 때 우리가 곧 마게도냐로 떠나기를 힘쓰니 이
는 하나님이 저 사람들에게 복음을 전하라고 우리를 부르신 줄로 인정
함이러라"(행 16:6-10).

15

비전으로
인생을 유턴하라

하나님 손에 인생을 맡길 때
비전의 돛이 펼쳐진다

동양에서 서양으로의 지각 변동

동양과 서양의 문화는 서로 앞서거니 뒤서거니 하며 인류의 문명을
발전시키는 두 축을 형성해 왔습니다. 때로는 갈등하고, 때로는 보
완하며, 또 때로는 충돌하면서 인류의 역사를 만들어 온 것입니다.
사실 고대 문명의 중심지는 동양이었습니다. 그런데 고대 이후 인
류 역사의 많은 시기를 동양이 아닌 서양 문화가 주도하게 된 결정
적인 두 사건이 있었습니다. 흥미로운 점은, 이 두 사건이 거의 같
은 장소에서 일어났다는 사실입니다. 바로 소아시아 해안에 위치
한, 현재 튀르키예의 서쪽 변경 마을인 드로아(고대 트로이 유적 부근)

라는 지역입니다. 이곳은 전통적으로 동양과 서양을 나누는 경계로 여겨져 왔습니다.

드로아 앞에는 에게해가 펼쳐져 있고, 그 건너편에는 그리스가, 좀 더 서쪽에는 로마가 있습니다. 여기서 우리는 B.C. 1250년경에 있었던, 트로이 목마의 신화를 남긴 트로이 전쟁을 떠올릴 수 있습니다. 대부분의 경우 이 전쟁을 트로이 왕자 파리스(Paris)가 스파르타의 왕비 헬레네(Helen)를 유괴한 사건에서 비롯된 것으로 알고 있지만, 중요한 것은 이 전쟁으로 해상 무역, 특히 지중해 무역의 패권이 동양(시리아, 레바논 등 이오니아 동양 국가)에서 그리스, 발칸 반도의 서양 국가로 넘어갔다는 점입니다.

또 하나 주목할 사건은 A.D. 51년경(트로이 전쟁 1,300년 후)에 일어납니다. 사도 바울이 제2차 전도 여행 중 드로아에 오게 된 것입니다. 사도 바울은 여기서 밤에 한 환상을 보게 됩니다. 꿈을 꾼 것입니다. 이로 인해 그는 동쪽 소아시아로 가려던 계획을 바꾸어 서쪽으로 향하게 됩니다. 바울의 선교가 서구로 향하는 첫걸음이 된 것입니다. 그는 드로아에서 배를 타고 마게도냐(마케도니아, 지금의 그리스 영토) 빌립보로 향하게 됩니다.

> "우리가 드로아에서 배로 떠나 사모드라게로 직행하여 이튿날 네압볼리로 가고 거기서 빌립보에 이르니 이는 마게도냐 지방의 첫 성이요 또 로마의 식민지라 이 성에서 수일을 유하다가"(행 16:11-12).

드디어 바울이 유럽에 도착하여 이곳 빌립보에 유럽 최초의 교회를 세우게 됩니다. 그는 당시 유럽의 중심이었던 로마에 갈 날도 멀지 않았다고 느꼈을 것입니다. 《역사의 연구》를 저술한 역사학자 아놀드 토인비(Arnold Joseph Toynbee)는, 드로아에서 바울을 태우고 마게도냐로 향했던 배가 바로 유럽의 역사를 바꾼 배였으며, 유럽 문명사의 미래를 안고 간 배였다고 증언합니다. 만약 유럽에 복음이 전해지지 않았고, 그곳에 교회가 세워지지 않았다면, 오늘날의 유럽과 서구 문명은 존재하지 않았을 것입니다.

이런 의미심장한 변화는 바로 사도 바울의 드로아의 환상, 곧 비전에서 시작되었습니다. 이렇듯 모든 위대한 일의 시작은 비전입니다. 하나님의 비전이 임하는 곳에는 언제나 두 가지 중요한 일이 일어납니다. 그렇다면 환상의 두 가지 역할은 무엇일까요?

환상은 인생의 방향을 전환시킨다

본래 바울의 제2차 전도 여행의 목적은, 제1차 전도 여행에서 복음을 받아들인 이들을 다시 찾아가 그들을 통해 세워진 교회들을 더욱 견고하게 하는 데 있었습니다. 그리고 여유가 된다면 아직 복음이 전해지지 않은 소아시아 지역으로 나아가 복음을 전하고자 했던 것으로 보입니다.

"수리아와 길리기아로 다니며 교회들을 견고하게 하니라"(행 15:41).

"이에 여러 교회가 믿음이 더 굳건해지고 수가 날마다 늘어 가니라"(행 16:5).

그런데 상황이 급변합니다. 바울은 아시아 지역에서 복음을 전하려 했지만 여러 어려움에 부딪히면서 무시아 지역까지 오게 되었고, 다시 소아시아 북동쪽에 위치한 비두니아로 가서 복음을 전하고자 했으나 그마저도 허락되지 않은 것입니다.

"성령이 아시아에서 말씀을 전하지 못하게 하시거늘 그들이 브루기아와 갈라디아 땅으로 다녀가 무시아 앞에 이르러 비두니아로 가고자 애쓰되 예수의 영이 허락하지 아니하시는지라"(행 16:6-7).

결국 바울은 무시아를 지나 드로아까지 오게 되었습니다(행 16:8 참조). 그런데 바로 여기서 운명의 꿈을 꾸게 된 것입니다. 환상을 본 것입니다.

"밤에 환상이 바울에게 보이니 마게도냐 사람 하나가 서서 그에게 청하여 이르되 마게도냐로 건너와서 우리를 도우라 하거늘"(행 16:9).

도대체 바울은 어떤 마게도냐인의 환상을 본 것일까요? 성경학자 중 일부는 환상에 나타난 마게도냐 사람이 그리스 혈통의 의사인 누가일 가능성이 있다고 추측합니다. 이는 이 환상 직후에 마게도냐로 떠나는 일행을 묘사할 때 사도행전에서 처음으로 '우리가'라는 표현이 등장하기 때문입니다(행 16:10 참조). 사도행전의 기자인 누가는 마게도냐를 향하는 선교 팀에 자신을 포함해서 '우리가'라고 쓴 것입니다.

아마도 바울은 드로아에서 누가를 만나 그로부터 유럽의 그리스에 관한 이야기를 들었을 것이고, 그 결과 마게도냐 여행에도 누가와 동행하게 되었을 것입니다. 하지만 꿈에 나타난 사람이 실제로 누가였는지는 확실하지 않습니다. 어쨌든 이 마게도냐 사람의 간절하고 절박한 호소("우리를 도와 달라! 우리에게도 복음을 전해 달라")로 인해 바울은 아시아가 아닌 마게도냐로 떠나기로 작정합니다. 이로 인해 바울의 인생의 방향이 바뀌었고, 바울을 만난 유럽인들의 인생의 향방 역시 달라지게 된 것입니다. 비전은 언제나 인생의 방향을 바꾸어 줍니다.

20대 초반의 저는 비전을 잃고 방황하는 청년이었습니다. 대학 입시에 실패하고 집안마저 망해서 가족들은 뿔뿔이 흩어지고, 미래는 보이지 않았습니다. 죽지 못해 살아가던 저는 막연히 영어 회화를 배우면 여행 가이드나 호텔 직원이라도 될 수 있지 않을까 생각했습니다. 그래서 선교사님들이 영어 성경을 가르치는 모임에 참여하게 되었고, 그곳에서 기독교 복음을 듣게 되었습니다.

성경 공부를 통해 예수님을 알아 가던 무렵, 당시 학생들과 청년들의 모임이었던 YFC 선교 단체에서 간증을 해 달라는 부탁을 받았습니다. 기독교 모임에서 처음으로 저의 신앙에 대한 생각과 체험을 나누는 기회를 얻게 된 것입니다. 여러 날 동안 원고를 쓰고 지우기를 반복한 끝에, 300-400명의 젊은이가 모인 자리에서 떨리는 마음으로 간증을 했습니다. 솔직히 그날 무슨 말을 했는지 또렷이 기억나지는 않지만, 결과는 나쁘지 않았습니다. 모임을 마친 후에 어떤 이는 은혜를 받았다고 했고, 어떤 이는 문학적 소양이 뛰어나다며 어떻게 말을 그렇게 예쁘고 감동적으로 하느냐고 칭찬해 주었습니다. 그리고 몇몇 사람은 똑같은 이야기를 해 주었습니다.

"미스터 리는 아무래도 설교자가 되어야 할 것 같아요."

그날 저는 정말 기뻤습니다. 처음으로 누군가에게 인정받았고, 더 나아가 다른 이들에게 영향을 끼칠 수 있다는 가능성을 확인한 기쁨이었습니다. 그날 밤, 꿈을 잘 꾸지 않던 제가 꿈을 꾸었습니다. 그것은 300-400명이 아니라 3,000-4,000명, 아니 수만 명의 사람이 모인 집회에서 설교하는 말도 안 되는 꿈이었습니다. 그러나 분명한 것은, 그날 밤 호텔 종업원에서 복음의 설교자로 인생의 방향이 전환되었다는 것입니다.

저는 그날 밤의 꿈이 하나님이 주신 꿈이었다고 믿습니다. 그리고 그 꿈이 오늘의 저를 만들었다고 믿습니다. 미래가 보이지 않아 방황하고 있습니까? 하나님의 말씀을 붙들고 엎드려 기도하십시오. 그리고 신령한 꿈을 꾸십시오. 우리의 창조자, 우리의 구원자이신 주님이 보여 주시는 비전을 바라보십시오. 그러면 길이 열릴 것입니다. 홍해가 갈라지고, 사막에 강이 흐르며 꽃이 피어날 것입니다. 우리의 인생 방향이 전환될 것입니다. 비전은 우리의 인생을 바꾸는 하나님의 손길입니다.

환상은 새로운 역사를 창조해 낸다

의미 있는 환상, 곧 하나님의 비전은 인생의 방향을 전환할 뿐 아니라 새로운 역사를 창조해 냅니다. 마게도냐로 떠난 바울에게 당장 하늘이 열리는 기적이 일어난 것은 아니지만, 매우 의미심장한 일들이 일어납니다. 낯선 도시에서 바울은 루디아라는 한 여류 사업가(옷감 장사, 행 16:14 참조)를 만납니다. 그리고 그녀가 마음을 열어 바울이 전하는 예수 그리스도를 영접합니다.

> "그와 그 집이 다 세례[침례]를 받고 우리에게 청하여 이르되 만일 나를 주 믿는 자로 알거든 내 집에 들어와 유하라 하고 강권하여 머물게 하니라"(행 16:15).

이 여인이 유럽 최초의 전도의 열매, 곧 그리스도인이 된 것입니다. 그리고 이어지는 사건에서 바울 일행은 점치는 여종을 전도했다가 그녀를 고용하여 이익을 창출하던 사람들에게 고발당해 감옥에 갇히게 됩니다. 그러나 감옥에서도 찬송하며 기도하자, 감옥이

흔들리면서 바울 일행을 매고 있던 쇠사슬이 풀어지는 기적이 일어
납니다. 간수들이 놀라서 바울 앞에 엎드리자 바울은 그들에게 "주
예수를 믿으라 그리하면 너와 네 집이 구원을 받으리라"(행 16:31)라
는 복음을 선포합니다. 그리고 그날 밤, 간수와 온 가족이 함께 세
례(침례)를 받고 예수를 믿습니다. 이후 바울 일행은 감옥에서 나와
루디아의 집으로 갑니다.

> "두 사람이 옥에서 나와 루디아의 집에 들어가서 형제들을 만나
>
> 보고 위로하고 가니라"(행 16:40).

여기서 우리는 유럽 최초의 교회인 빌립보교회가 바로 루디아의
집에서 시작되었음을 알 수 있습니다. 여류 사업가 루디아, 점치다
가 구원받은 여종 그리고 빌립보 감옥의 간수와 그의 가족, 그들이
바로 유럽의 새 역사를 만드는 하나님의 도구가 된 것입니다. 바울
에게 임한 비전은 마침내 유럽에 하나님 나라가 임하게 하는 새 역
사의 창조를 이루어 냈습니다.

1992년 아름다운 가을, 저는 극심한 마음의 고통과 갈등을 겪게
되었습니다. 당시 저는 미국 워싱턴 제일한인침례교회(현 워싱턴지구
촌교회)의 담임목사로서 9년째 사역 중이었으며, 교회는 워싱턴 지
역의 대표적인 이민 교회로 성장해 가던 시기였습니다. 마침 교회
당 건축도 마무리되어, 모든 면에서 편안하고 행복한 목회를 기대
할 수 있는 시점이었습니다.

그런데 어느 순간 눈을 감을 때마다 조국의 산천과 젊은이들이 떠오르기 시작했습니다. '설마 하나님이 이런 시점에 나를 조국으로 보내시려는 것은 아니겠지' 하는 생각이 들었지만, 일단 마음에 부담이 생겨 이 문제를 놓고 기도하기 시작했습니다. 기도는 6개월간 피를 말리는 고통 속에 이어졌고, 저는 결국 주님의 명이라면 순종하겠다고 고백했습니다. 그러자 가슴을 옥죄던 고통이 떠나면서 새로운 환상이 떠오르기 시작했습니다. 조국의 어디인지는 알 수 없었지만, 한 아파트 단지 한복판에 세워진 새 교회에서 밀려오는 젊은 부부들에게 말씀을 증거하는 모습이었습니다.

바로 그 무렵, 한국에서 성경 공부 모임을 갖고 있던 몇몇 분들이 절묘한 시기에 제가 한국으로 나올 때를 기다리며 교회 개척을 위해 기도하고 있다는 소식을 들었습니다. 그중 한 분이 대표로 미국을 방문하기도 했습니다. 저는 좀 더 구체적으로 개척 교회를 위해 기도하면서 분당·수지 지역에 뜻을 두게 되었습니다.

제가 귀국한 1993년 11월, 준비 기도회를 가지면서 탄생한 비전이 바로 '333비전'입니다. 당시 분당·수지 지역의 인구가 30만 명에 달했는데, 30만 명의 십일조에 해당하는 3만 명을 전도하자는 것이 첫 번째 3의 의미였습니다. 두 번째 3은, 전도한 3만 명 중 다시 십일조에 해당하는 3천 명을 그리스도의 제자다운 평신도 지도자로 훈련해 세우자는 것이었습니다(이 두 번째 3은 나중에 셀 교회를 시작하면서 셀 목자와 교육 목자를 포함해 3천 명의 리더를 세우는 것으로 조정됨). 마지막 3은, 그 3천 명의 십일조에 해당하는 300명을 타 문화권 선교사로 파송하자는 것이었습니다. 이렇게 해서 333비전을 교회의 비전과 목표로 갖게 되었습니다. 이 비전은 하나님의 은혜로 100퍼센트 성취되었으며, 2010년 부활주일에 온전히 성취되었음을 감사하며 축제의 예배를 드릴 수 있었습니다.

1994년 1월에 창립 예배를 드린 후, 같은 해 5월에는 교회 창립을 한국 교회에 선포하는 전도 축제를 열었습니다. 그로부터 10여 년의 세월이 흘러 창립 15주년을 기념하면서 '감사와 나눔, 비전'이라는 세 가지 주제를 설정했습니다. 지난 세월 동안 교회 공동체에 부어 주신 하나님의 은혜에 감사하며, 이제는 교회가 받은 은혜와 축복을 이웃과 사회에 나누어 주기 위한 나눔 프로젝트를 기획한 것입니다.

그 일환으로 한국 교회와 공유할 영성 센터인 필그림 하우스를 건립하여 봉헌했고, 가난한 이웃의 집을 선정해 수리하는 웰빙 하우스 프로젝트도 진행했습니다(이후 지구촌교회는 열네 개의 사회복지 기관을 운영하게 됨). 또한 장애인들과 함께 마라톤을 하며 탄천을 청소하는 행사도 가졌습니다. 그 밖에 헌혈이나 장기 기증 행사를 통해 우리의 이웃들에게 다가서는 소중한 사랑의 나눔을 실천하려고 노력했습니다. 교회가 파송한 선교사들을 초청하여 '선교지 우물 파기 봉헌식'을 갖고, 지속적인 단기 선교 출정식을 통해 세계 선교에의 헌신을 다짐하기도 했습니다. 지금은 미래를 준비하며 건강한 교회의 비전을 한국 교회 지도자들과 나누기를 힘쓰고 있습니다.

저는 우리 가운데 이 모든 일을 행하신 하나님을 찬양합니다. 그리고 다시 크신 일을 행하실 하나님을 기대합니다.

"그들이 암비볼리와 아볼로니아로 다녀가 데살로니가에 이르니 거기 유대인의 회당이 있는지라 바울이 자기의 관례대로 그들에게로 들어가서 세 안식일에 성경을 가지고 강론하며 뜻을 풀어 그리스도가 해를 받고 죽은 자 가운데서 다시 살아나야 할 것을 증언하고 이르되 내가 너희에게 전하는 이 예수가 곧 그리스도라 하니"(행 17:1-3).

"우리가 이같이 너희를 사모하여 하나님의 복음뿐 아니라 우리의 목숨까지도 너희에게 주기를 기뻐함은 너희가 우리의 사랑하는 자 됨이라"(살전 2:8).

16

믿음은 사랑을 만나야
향기롭다

복음이 뿌려지면
마른 땅에도 사랑이 싹튼다

영향력 있는 바울 전도 팀

바울의 전도 여행 중 가장 큰 열매가 있었던 곳은 그 당시 마게도냐 지방의 수도(당시 인구 약 20만 명 이상)인 데살로니가였습니다. 오늘날 이 도시는 테살로니키(Thessaloniki)로 불리고 있는데, 지금도 그리스에서 아테네 다음가는 제2의 도시입니다.

사도 바울 일행(바울, 실라, 디모데, 누가 등)은 빌립보를 떠나 에그나티아 가도(Via Egnatia, 로마의 유명한 군사 도로)를 통해 암비볼리와 아볼로니아를 거쳐 살로니카만(Gulf of Salonica)에 위치한 항구 도시 데살로니가(빌립보에서 약 160킬로미터)에 도착했습니다. 성경학자들은 바울이 이곳에 오래 머물지 않고 6개월 정도 체류하며 복음을 전했을 것으로 추측합니다. 처음에는 유대인 회당을 중심으로 한 달 정도 집중 사역을 하고, 그 후에는 야손(행 17:5-6 참조)이라는 사람의 집에서 일종의 셀 모임으로 복음을 전한 것으로 보입니다. 그럼에도 불구하고 전도의 결과는 매우 괄목할 만한 것이었습니다.

유대인들은 우상을 버리고 살아 계신 하나님에게로 돌아왔습니다(살전 1:9 참조). 또한 그들의 믿음에 대한 소문이 각처에 퍼져, 마게도냐 인근 지역 교회의 본이 되었습니다(살전 1:7 참조).

"주의 말씀이 너희에게로부터 마게도냐와 아가야에만 들릴 뿐 아니라 하나님을 향하는 너희 믿음의 소문이 각처에 퍼졌으므로 우리는 아무 말도 할 것이 없노라"(살전 1:8).

과연 사도 바울 일행은 그들을 어떻게 전도한 것일까요? 그때 바울 전도 팀의 역동적 영향을 암시하는 말씀을 사도행전 17장 6절에서 발견할 수 있습니다. 성경이 데살로니가에서 전도하던 그리스도인 일행을 어떻게 묘사하고 있는지 주목해 보십시오.

"천하를 어지럽게 하던 이 사람들이 여기도 이르매."

물론 이 표현은 부정적이지만, KJV 성경은 이 대목을 아주 흥미롭게 번역하고 있습니다. "These that have turned the world upside down are come hither also", 곧 '세상을 뒤집어 놓은 사람들'이라는 의미입니다. 도대체 어떻게 전도했기에 이런 결과를 가져왔을까요?

복음적 '강해 설교 사역'

우선 바울은 데살로니가에 도착한 즉시 유대인 회당(바울은 랍비였기 때문에 회당 설교의 자격을 가지고 있었음)을 찾아 허락을 받고 3주에 걸쳐 성경을 풀어 말씀을 강론합니다.

> "바울이 자기의 관례대로 그들에게로 들어가서 세 안식일에 성경을 가지고 강론하며 뜻을 풀어 그리스도가 해를 받고 죽은 자 가운데서 다시 살아나야 할 것을 증언하고 이르되 내가 너희에게 전하는 이 예수가 곧 그리스도라 하니"(행 17:2-3).

이런 바울의 설교 스타일을 가리켜 강해 설교라고 합니다. 바울은 성경을 읽은 후에 자기가 하고 싶은 말을 한 것(제목 설교)이 아니라, 읽은 본문을 성실하게 해석하여 그 뜻을 드러낸 것입니다. 그러나 그는 단순히 성경 해석에 그친 것이 아니라, 그 말씀을 통해 예수 그리스도가 어떻게 우리 인생의 문제에 해답이 되는가를 제시했습니다. 그의 강론의 핵심은 그리스도였습니다. '그리스도가 해를 받고 죽은 자 가운데서 다시 살아나야 할 것을 증언'한 것입니다. 그리스도의 죽음과 부활, 그것이 바로 인류의 죄와 구원이라는 문제의 해답임을 선포한 것입니다. 이것이 바로 복음입니다. 그래서 우리는 바울의 설교를 '복음적 강해 설교'라고 말합니다.

교회가 성경에 근거한 복음의 메시지를 상실하면, 그것은 더 이상 교회라 할 수 없습니다. 흔히 한 교회의 신학적 성향을 두고 우리는 그 교회가 보수적이냐, 진보적이냐를 이야기합니다. 그러나 정말로 중요한 것은, 복음적인 교회여야 한다는 것입니다.

저는 지난 40여 년 동안 복음적 강해 설교 사역에 성실히 임하고자 노력해 왔습니다. 저는 이것이 하나님이 제 목회를 기뻐하고 축복하신 중요한 이유라고 믿습니다. 데살로니가 사역의 큰 열매가 바로 복음적 강해 설교의 결과였던 것처럼 말입니다. 저는 시대의 변화에 따라 교회의 사역이나 예배 스타일 등은 얼마든지 변화될 수 있다고 생각합니다. 그러나 역사가 흐를지라도 교회에서 변함이 없어야 할 것은 바로 성실한 말씀 강론 사역입니다.

앞으로 세월이 흘러도 한국 교회의 설교 강단에서 변함없는 복음의 메시지와 성경적 강해 설교의 생수가 계속해서 넘쳐흐르기를 기도합니다. 그것만이 이 세상을 변화시키는 하나님의 방법이기 때문입니다. 성경의 핵심이신 예수 그리스도는 어제나 오늘이나 내일이나 변함없는, 유일한 세상의 소망이십니다. 우리는 이 복음의 메시지를 붙들고 선포하는 공동체로 나아가야 할 것입니다.

이웃 사랑의 '실천 사역'

바울 팀의 전도 사역이 위대한 데살로니가교회를 탄생시키고, 데살로니가교회가 다시 그 도시와 지역 사회에 큰 영향력을 미칠 수 있었던 또 하나의 비밀은, 복음과 함께(복음뿐 아니라) 목숨까지도 내어 줄 만큼 실천한 사랑, 곧 이웃 사랑입니다.

> "우리가 이같이 너희를 사모하여 하나님의 복음뿐 아니라 우리의 목숨까지도 너희에게 주기를 기뻐함은 너희가 우리의 사랑하는 자 됨이라"(살전 2:8).

복음은 위대한 메시지이지만, 사랑으로 증거되지 않으면 이웃들은 그 진정성을 믿지 못합니다. 그런 면에서 사랑은 복음을 증명하고 열매 맺게 합니다. 그동안 한국 교회가 열심히 전도했음에도 불구하고 전도의 열매를 맺지 못한 이유는, 바로 이웃을 향한 우리의 사랑이 보이지 않았기 때문입니다.

저는 한국 교회가 데살로니가교회처럼 복음뿐 아니라 목숨까지도 내어 줄 수 있는 사랑으로 이웃을 섬기는 일에 앞장서기를 기도합니다. 그래서 훗날 진실로 민족을 치유하고 세상을 변화시키는 일에 한 알의 밀알로 기억되는 교회가 되기를 소원합니다.

"바울이 아덴에서 그들을 기다리다가 그 성에 우상이 가득한 것을 보고 마음에 격분하여 회당에서는 유대인과 경건한 사람들과 또 장터에서는 날마다 만나는 사람들과 변론하니 어떤 에피쿠로스와 스토아 철학자들도 바울과 쟁론할새 어떤 사람은 이르되 이 말쟁이가 무슨 말을 하고자 하느냐 하고 어떤 사람은 이르되 이방 신들을 전하는 사람인가 보다 하니 이는 바울이 예수와 부활을 전하기 때문이러라 … 그들이 죽은 자의 부활을 듣고 어떤 사람은 조롱도 하고 어떤 사람은 이 일에 대하여 네 말을 다시 듣겠다 하니 이에 바울이 그들 가운데서 떠나매 몇 사람이 그를 가까이하여 믿으니 그중에는 아레오바고 관리 디오누시오와 다마리라 하는 여자와 또 다른 사람들도 있었더라"(행 17:16-18, 32-34).

17

인생의 해답은
예수의 부활뿐이다

복음은 비웃음의 담장을 넘어
세상으로 뻗어 간다

아덴에 입성한 바울

2세기 말에서 3세기 초까지 북아프리카 카르타고에서 활동한 교부 신학자 테르툴리아누스(Tertullianus)는 "아테네와 예루살렘이 무슨 상관이 있는가?"라는 유명한 질문을 남겼습니다. 그가 왜 이런 말을 했을까요? 기독교 신앙의 모태가 갈보리 십자가 언덕이 있는 예루살렘이라면, 철학이 태어난 도시는 아테네이기 때문입니다. 그래서 이 말은 종종 '신앙과 이성', '종교(기독교)와 철학'의 관계를 규명하고자 할 때 자주 인용되곤 합니다.

아테네에서는 기원전 470년경 철학의 대명사인 소크라테스(Socrates)

가 태어났습니다. 소크라테스의 유명한 제자 플라톤(Platon)은 그의 스승이 사형당하는 것을 목격한 뒤 정치적 야망을 버리고 철학 연구에 몰두하게 되었습니다. 그는 B. C. 387년경 아테네 근교에 오늘날 대학의 원형이라 할 수 있는 아카데메이아(Academeia)를 설립했는데, 이 아카데메이아에 플라톤의 탁월한 제자 아리스토텔레스(Aristotle)가 입학해 20년간 수학한 후 불세출의 철학자가 되었습니다. 이렇게 해서 아테네는 인류의 지성을 대표하는 도시로 자리매김하게 되었습니다.

우리는 지금 바울의 제2차 전도 여행을 추적하고 있습니다. 데살로니가를 떠난 바울은 에그나티아 가도를 따라 베뢰아로 갑니다. 데살로니가에서 베뢰아까지는 약 60킬로미터 거리로, 2-3일 정도 걸렸을 것으로 추정됩니다. 이때 베뢰아 사람들은 데살로니가 사람들보다 더 신사적이고 너그러워서 바울이 전하는 복음을 예의 있게 경청했으며, 그 결과 주님을 영접한 사람이 적지 않았던 것으로 보입니다(행 17:11-12 참조).

바울은 실라와 디모데를 베뢰아에 남겨 주님을 영접한 이들을 돌보게 하고, 자신은 발걸음을 재촉해 마침내 지성의 도시 아덴(아테네)에 도착합니다. 베뢰아에서 아덴까지의 거리는 320킬로미터 정도인데, 사도행전 17장을 보면 바울이 아덴까지 배로 이동한 것을 알 수 있습니다.

"형제들이 곧 바울을 내보내어 바다까지 가게 하되 실라와 디모데는 아직 거기 머물더라"(행 17:14).

여기서 바다가 언급되고 있음을 유의해서 보십시오. 아덴에 배로 입성한 바울의 선교 실적이 사뭇 궁금해집니다. 우리는 바울의 아덴 선교의 실상과 아덴의 진정한 필요 그리고 아덴 사람들의 반응에 주목할 것입니다. 그렇다면 바울의 아덴 선교에서 얻을 수 있는 교훈은 무엇일까요?

아덴의 실상: 우상의 도시

아덴은 지성과 철학의 도시였지만, 바울이 바라본 그곳은 우상의 도시였습니다.

> "바울이 아덴에서 그들을 기다리다가 그 성에 우상이 가득한 것을 보고 마음에 격분하여"(행 17:16).

이것이 지성의 실상, 인간 지식의 실상 그리고 지식의 도시인 아덴의 실상이었습니다. 하나님 없는 지성, 하나님 없는 지식은 결국 인간과 도시를 우상 숭배로 이끌고 간 것입니다. 바울이 본 아덴의 거리는 우상의 거리에 불과했습니다. 그는 유명한 아레오바고 언덕(아레스 신의 언덕, 혹은 마르스 신의 언덕으로 아덴시의 중요 회의가 열리던 곳)에서 이렇게 외칩니다.

> "바울이 아레오바고 가운데 서서 말하되 아덴 사람들아 너희를 보니 범사에 종교심이 많도다 내가 두루 다니며 너희가 위하는 것들을 보다가 알지 못하는 신에게라고 새긴 단도 보았으니"(행 17:22-23).

이것이 바로 아덴의 실상이었습니다. 그래서 바울은 훗날 로마서에서 하나님을 떠난 마음, 하나님을 떠난 지성의 결국이 곧 우상숭배라고 증거합니다.

> "스스로 지혜 있다 하나 어리석게 되어 썩어지지 아니하는 하나님의 영광을 썩어질 사람과 새와 짐승과 기어 다니는 동물 모양의 우상으로 바꾸었느니라"(롬 1:22-23).

바울이 아덴에 가득한 우상을 보고 격분한 이유가 무엇입니까? 살아 계신 하나님께 영광을 돌려야 할 아덴의 지식인들이 우상에게 무릎 꿇고 있었기 때문입니다. 지금도 아덴에 가면 아레오바고 언덕에 자리 잡은 파르테논 신전을 위시한 수많은 사당과 신전, 제단의 자취들이 고스란히 남아 있습니다. 사람들은 그곳에서 문화 유적에 감동할 뿐, 우상의 흔적을 보는 사람은 거의 없습니다.

사실 아테네라는 도시명 자체도 그리스 신화에 나오는 여신의 이름입니다. 로마식으로는 미네르바라고 부르는데, 아테네는 지혜의 신이요, 학문의 신입니다. 지혜와 학문은 필요한 것이지만, 하나님을 떠나면 그 자체도 우상이 된다는 교훈을 결코 잊지 말아야 합니다.

간혹 자식들이 고2, 고3이 되면 부모가 나서서 자녀들의 교회 생활이나 신앙 활동을 중단시키는 경우가 있습니다. 그렇게 해서 좋은 대학에 진학했다고 가정해 봅시다. 그러나 이미 교회에 나가지 않는 것이 습관이 되어 버린 자녀가 성인이 되어 신앙을 거부하고 교회를 등진다면, 명문 대학에 다니는 것이 과연 무슨 의미가 있겠습니까? 결국 우리는 자녀들을 지식의 우상, 성공의 우상 앞에 갖다 바친 셈이 되고 맙니다. 그래서 잠언 기자는 "여호와를 경외하는 것이 지식[지혜]의 근본"(잠 1:7)이라고 가르치고 있습니다.

아덴의 필요: 참된 복음

이런 아덴의 도성에서 바울은 만나는 사람들에게 무엇을 전했을까요? 또 하나의 철학적 학설을 전했을까요? 이미 아덴에는 다양한 철학의 가르침들이 넘쳐나고 있었습니다. 그래서 바울은 회당에서나 장터(아고라)에서 사람들을 만나며 변론을 이어 갔습니다.

"어떤 에피쿠로스와 스토아 철학자들도 바울과 쟁론할새 어떤 사람은 이르되 이 말쟁이가 무슨 말을 하고자 하느냐 하고 어떤 사

람은 이르되 이방 신들을 전하는 사람인가보다 하니 이는 바울이
예수와 부활을 전하기 때문이러라"(행 17:18).

복음주의 신학자 존 스토트(John Stott)는, 당시 아덴에서 가장 인
기를 끌며 경쟁하던 두 철학 사조가 에피큐리언 학파와 스토아
학파였다고 말합니다. 에피큐리언 학파(시조 에피쿠로스[Epicurus])는
삶으로부터의 도피와 쾌락을 가르친 반면, 스토아 학파(시조 제논
[Zeno])는 숙명론과 복종, 고통의 감수를 가르쳤습니다. 에피큐리
언들은 죽음을 잊고 살라고 가르쳤고, 스토아 철학자들은 피할 수
없는 죽음을 운명으로 받아들이라고 가르쳤습니다.

하지만 바울은 이들과 논쟁하며 또 하나의 철학이 아닌 복음을
전했습니다. 예수와 부활, 이것이 바로 바울이 증거한 복음의 핵심
이었습니다. 예수의 죽음으로 인류의 죄 문제가 해결되고, 예수의
부활로 인류의 죽음의 문제가 해결된 것입니다. 철학으로 죄의 문
제를 해결했다고 고백한 사람이 있습니까? 철학으로 죽음의 문제
를 해결하고 진정한 자유를 얻었다고 간증한 사람이 있습니까? 그
러나 죽음 너머에 부활의 확실한 사실이 기다리고 있다면, 그것이
야말로 죽음에 대한 완전한 해답이 될 것입니다. 그래서 예수님이
죽은 나사로의 무덤 앞에서 "나는 부활이요 생명이니 나를 믿는 자
는 죽어도 살겠고"(요 11:25)라고 선언하신 것입니다.

성경에 의하면, 믿는 자들에게 부활은 부활하신 예수님에 의해
보장된 사건입니다. 그렇기에 성도의 죽음은 부활의 시간까지 잠

자는 안식에 불과합니다. 그래서 예수님은 나사로의 죽음의 소식을 듣고도 "우리 친구 나사로가 잠들었도다 그러나 내가 깨우러 가노라"(요 11:11)라고 말씀하셨습니다.

부활은 곧 '깨어남'입니다. 우리 중에 누구도 잠자리에 들면서 울거나 절망하지 않습니다. 우리의 잠듦은 다음 날 깨어나는 아침까지의 안식임을 확신하기 때문입니다. 이것이 바로 부활의 소망이요, 복음입니다.

그러므로 철학은 인생의 해답이 될 수 없습니다. 지식도 마찬가지입니다. 오직 복음만이 해답입니다. 예수만이 해답입니다. 아덴이 필요로 했던 것도 바로 이 복음이었습니다. 오늘 우리의 도시 역시 동일한 복음을 필요로 합니다. 아덴의 참된 필요가 복음이라고 확신한다면, 우리의 도시와 일터, 마을, 학원, 가정 그리고 이웃의 필요 역시 오직 복음인 것을 확신해야 할 것입니다.

아덴의 반응: 세 가지 유형의 사람들

사도 바울의 복음 증거에 대해 아덴 사람들은 세 가지 반응으로 나누어졌습니다.

"그들이 죽은 자의 부활을 듣고 어떤 사람은 조롱도 하고 어떤 사람은 이 일에 대하여 네 말을 다시 듣겠다 하니"(행 17:32).

첫째는, 조롱 혹은 야유로 복음을 거절한 사람들입니다. 그리고 둘째는, 오늘의 표현으로 하면 결신을 보류한 사람들입니다. 좀 더 생각해 보고, 연구해 보고, 들어 보고 결정하겠다는 것입니다. 제 친구 중 한 명도 예수님을 믿으라고 전도했더니 "생각해 보고"라고 대답했습니다. 10여 년이 지난 뒤에 다시 만나 전도했지만, 그때도 대답은 같았습니다. 그런데 아덴의 희망은 세 번째 유형의 반응을 보인 사람들에게서 시작됩니다.

> "몇 사람이 그를 가까이하여 믿으니 그중에는 아레오바고 관리 디오누시오와 다마리라 하는 여자와 또 다른 사람들도 있었더라"(행 17:34).

이 몇 사람이 바로 아덴의 희망의 불씨였습니다. 아덴이 변화되기 위해 반드시 수천 명이 한순간에 믿을 필요는 없습니다. 처음 몇 사람만으로도 충분합니다. 한 나라, 한 도시, 한 일터의 변화도 마찬가지입니다. 변화는 언제나 몇 사람으로부터 시작됩니다. 그 몇 사람이 확실히 변하고, 확실히 복음의 희망을 붙들고 살아간다면, 결국 거대한 도시와 민족의 변혁이 일어납니다.

성경 해석자 중 일부는 바울이 아덴에서 몇 사람밖에 구원하지 못했다는 이유로 아덴 선교를 실패로 규정하기도 합니다. 그러나 저는 이런 해석에 동의하지 않습니다. 예수님이 이 땅에서 마지막 주간을 보내실 때, 유월절 명절에 예수님을 찾아온 헬라인 몇 사람이 있었습니다. 그들이 예수님을 뵙고자 한다는 말을 듣고 보이신 예수님의 반응은 이러했습니다.

"인자가 영광을 얻을 때가 왔도다"(요 12:23).

그리고 이어서 이렇게 말씀하셨습니다.

"내가 진실로 진실로 너희에게 이르노니 한 알의 밀이 땅에 떨어져 죽지 아니하면 한 알 그대로 있고 죽으면 많은 열매를 맺느니라"(요 12:24).

예수님은 헬라인 몇 사람을 위해서도 기쁘게 당신의 생명을 드리는 한 알의 밀이 되겠다고 선언하셨습니다. 그러면서 그들을 통해 맺게 될 수많은 열매를 보셨습니다.

오늘의 그리스를 보십시오. 지금 그리스는 사실상 정교회를 국교로 하는 기독교 국가가 되었습니다. 국민의 98퍼센트가 자신을 '기독교인'이라고 대답하는 나라가 되었습니다. 물론 그들이 다 거듭난 그리스도인이라는 의미는 아닙니다.

이제 우리도 우리의 아고라, 우리의 회당, 우리의 아레오바고 언덕으로 가야 합니다. 우리를 말쟁이라 비웃고 야유하는 무리가 있어도, 우리를 개독교라 폄하하는 이웃들이 있어도 우리는 여전히 입을 열어 복음을 전해야 합니다. 예수와 부활의 복음을 증거해야 한다는 것입니다. 몇 사람만 건져도 성공입니다. 그들이 바로 우리의 마을, 일터, 학원, 세상을 변화시키는 희망의 불씨요, 기적의 시작이 될 것입니다.

만약 성령이 감동하시고 여건이 허락된다면, 바다 건너 이웃 나라의 아고라, 산당, 회당, 아레오바고에도 가십시오. 그곳에서 그 나라의 철학과 문화, 민속 종교가 대답하지 못한 복음을 들려주십시오. 예수가 희망이라고, 부활이 죽음의 문제에 대한 유일한 해답이라고 선포하십시오. 적어도 몇 사람은 복음을 듣고 돌아올 것입니다. 그들은 자신의 민족을 변화시키는 밀알이 될 것입니다. 그리고 머지않아 우리는 그 도시와 그 나라의 변혁 소식을 듣게 될 것입니다. 이것이 바로 아덴의 교훈이요, 도전입니다.

철학은 인생의 해답이 될 수 없습니다.

지식도 마찬가지입니다. 오직 복음만이 해답입니다.

예수만이 해답입니다.

"그 후에 바울이 아덴을 떠나 고린도에 이르러 아굴라라 하는 본도에서 난 유대인 한 사람을 만나니 글라우디오가 모든 유대인을 명하여 로마에서 떠나라 한 고로 그가 그 아내 브리스길라와 함께 이달리야로부터 새로 온지라 바울이 그들에게 가매 생업이 같으므로 함께 살며 일을 하니 그 생업은 천막을 만드는 것이더라 안식일마다 바울이 회당에서 강론하고 유대인과 헬라인을 권면하니라 실라와 디모데가 마게도냐로부터 내려오매 바울이 하나님의 말씀에 붙잡혀 유대인들에게 예수는 그리스도라 밝히 증언하니 그들이 대적하여 비방하거늘 바울이 옷을 털면서 이르되 너희 피가 너희 머리로 돌아갈 것이요 나는 깨끗하니라 이후에는 이방인에게로 가리라 하고 거기서 옮겨 하나님을 경외하는 디도 유스도라 하는 사람의 집에 들어가니 그 집은 회당 옆이라 또 회당장 그리스보가 온 집안과 더불어 주를 믿으며 수많은 고린도 사람도 듣고 믿어 세례[침례]를 받더라"(행 18:1-8).

18

축복의 땅 밟기가
은혜의 열매를 맺는다

믿음의 전략이
선교의 지경을 넓힌다

열정과 전략이 조화된 선교

흔히 외국의 선교 전략가들은 한국인의 선교 방식을 '열정의 선교'라고 말합니다. 정말이지 우리 한국인들은 한번 불이 붙기 시작하면 아무도 못 말리는 뜨거운 열정으로 선교하는 민족입니다. 이러한 열정이 있었기에 2025년 한국선교연구원이 발표한 자료에 따르면, 한국 교회는 복음을 받아들인 지 불과 140여 년 만에 전 세계에서 미국(64,084명)과 인도(46,381명)에 이어 세 번째(14,905명)로 많은 선교사를 파송하는 나라가 될 수 있었습니다.

우리는 가슴으로 선교하는 민족입니다. 그러나 한국 교회가 '전략 없는 선교'를 한다고 말하는 이들도 있습니다. 쉽게 말해, 한국 선교에는 가슴은 있는데 머리가 없다는 것입니다. 그래서 선교 전문가들은 아무런 준비나 전략 없이 무작정 가서 부딪치는 선교 방식을 영어로 'Korean way of doing mission', 즉 '한국식 선교'라고 표현하기도 합니다.

저는 이 말을 반드시 부정적으로만 받아들이고 싶지 않습니다. 서구 교회들이 수많은 회의를 거듭하며 선교지에 갈 것인가 말 것인가를 논의할 때, 한국 선교사들은 이미 선교지에 가서 말뚝을 박고 교회를 세웁니다. 이러한 저돌적인 모험심과 개척 정신이 오늘의 한국 선교의 성과를 가능하게 한 것입니다.

하지만 이제는 효율적인 선교의 열매를 맺기 위해 진지하게 선교 전략을 고민해야 할 때입니다. 서구 교회가 한국 교회로부터 열정을 배워야 한다면, 우리는 서구 지도자들에게서 전략을 배워야 합니다. 지금 우리에게 필요한 것은 바로 전략입니다.

우리 선교의 최고의 귀감은 사도 바울입니다. 그는 열정의 사람인 동시에 전략의 사람이었습니다. 그것이 사도 바울로 하여금 1세기 세계 교회의 기초를 놓게 한 비결이었습니다. 이러한 바울의 선교 전략이 가장 두드러지게 나타난 곳이 바로 고린도입니다.

이제 우리는 사도 바울의 제2차 전도 여행의 마지막 지점이라 할 수 있는 고린도에 도달하게 되었습니다. 물론 바울은 고린도에서 떠난 후 잠시 에베소에 들렀지만, 곧 다시 돌아올 것을 약속하고 선교 여행의 출발지였던 수리아 안디옥으로 돌아갑니다(행 18:21-22 참조). 바울은 제2차 전도 여행 중 가장 오랜 시간을 고린도에 머물며 괄목할 만한 선교의 열매를 거둡니다. 그 결과 고린도라는 도시가 놀라운 변화를 경험하게 됩니다.

그렇다면 고린도를 변화시킨 바울의 선교 전략은 무엇이었을까요?

'도시 선교' 전략

'도시 선교'(Urban mission)란 한마디로 인구가 많은 도시에 우리의 선교 역량이 집중되어야 한다는 것입니다. 물론 우리는 농촌과 섬 지역에도 부지런히 선교해야 합니다. 하지만 대도시의 복음화 없이는 세계 복음화가 가능하지 않다는 사실을 인식할 때, 우리의 주요 선교 자원과 역량은 도시에 집중될 수밖에 없습니다.

오늘날 우리가 사는 세상의 뚜렷한 변화 중 하나는 '도시화'(urbanization)입니다. 1850년에는 전 세계에 100만 명 이상의 인구가 사는 도시는 네 개에 불과했습니다. 그러나 1980년에는 225개, 2000년대에 들어서면서는 500개가 되었습니다. 또한 소위 1천만 명 이상의 인구를 가진 거대 도시(megacity)는 1950년까지만 해도 런던과 뉴욕밖에 없었는데, 지금은 전 세계에 37개가 있으며, 2035년에는 48개로 늘어날 전망이라고 합니다.

현재 세계에서 가장 인구가 많은 도시는 도쿄(3,703만 명), 델리

(3,467만 명), 상하이(3,048만 명) 순입니다. 그 뒤를 다카(2,465만 명), 카이로(2,307만 명), 상파울루(2,299만 명), 멕시코시티(2,275만 명), 베이징(2,259만 명), 뭄바이(2,209만 명), 뉴욕(1,921만 명) 등이 잇고 있으며, 서울은 약 2,510만 명(수도권 기준)으로 세계 10위권 내외의 거대 도시로 꼽힙니다.

통계에 따르면, 2025년 4월 기준 전 세계 인구는 약 82억 명이며, 이 중 약 48억 명(58퍼센트)이 도시에 거주하고 있습니다. 이러한 현상을 메가시티 트렌드(megacity trend)라 하는데, 선교학자들 역시 이 트렌드에 맞춘 세계 복음화 전략을 가장 중요한 미래 선교 전략으로 평가하고 있습니다.

그런데 바울은 이미 오래전에 이 중요성을 간파하고 있었습니다. 바울이 살던 당시 세계의 3대 도시는 로마, 고린도, 에베소였으며, 당시 로마의 인구는 약 100만 명, 고린도는 약 75만 명, 에베소는 약 50만 명이었습니다. 바울은 아직 로마에 갈 수 없는 상황이었기에 에베소와 고린도에서 가장 많은 시간을 보냈습니다. 에베소에서 약 3년, 고린도에서 약 1년 반(행 18:11 참조)을 머물며 선교한 것입니다. 얼마나 전략적입니까?

바울은 도시의 복음화 없이는 세상의 변화도 없다고 생각했습니다. 누군가 '악마는 도시에 살고, 천사는 농촌에 산다'고 말했지만, 그렇기에 더욱 도시의 변화가 필요한 것이 아니겠습니까? 당시 고린도는 가장 번영한 무역 도시이자 문화의 도시였습니다. 이곳에서는 2년마다 오늘날의 올림픽과 유사한 이스트미아 제전(Isthmian games)이 열렸고, 해발 600미터의 아크로코린트 바위 언덕 정상에 위치한 아프로디테(비너스) 신전에서는 약 1천 명의 여인이 공개적으로 매춘을 하기도 했습니다. '고린도인처럼 행동한다'는 말이 매춘을 의미할 정도로 성행했습니다. 이에 바울은 이 도시에 인생의 중요한 시간을 올인하기로 결심합니다. 오늘날 우리에게도 바울의 이러한 도시 선교 비전과 전략이 절실히 필요합니다.

'자비량 선교' 전략

바울은 고린도에서 일생에 힘이 될 동역자 부부를 만납니다. 그들은 바로 아굴라와 브리스길라 부부입니다.

> "아굴라라 하는 본도에서 난 유대인 한 사람을 만나니 글라우디오가 모든 유대인을 명하여 로마에서 떠나라 한 고로 그가 그 아내 브리스길라와 함께 이달리야로부터 새로 온지라 바울이 그들에게 가매 생업이 같으므로 함께 살며 일을 하니 그 생업은 천막을 만드는 것이더라"(행 18:2-3).

바울 당시 유대인 부모들은 자식들에게 생존을 위한 전략으로 반드시 어떤 기술이든 하나쯤은 익히게 했다고 합니다. 바울은 유대인 학자 가말리엘 아래서 학문의 훈련을 받았지만, 동시에 '천막 만드는 기술'도 익혔습니다. 그 기술 덕분에 바울은 그리스도인에 대한 박해를 피해 로마에서 고린도로 온 '천막업자'(tentmaker) 아굴라 부부와 만나 동역할 수 있었습니다. 어떤 성경학자는 아굴라 부부가 주상 복합 형태의 건물에 살면서 아래층에는 공장을 설치하고 위층에는 거주 공간을 두었는데, 바울이 일자리를 구하러 갔다가 아굴라 부부를 만났을 것으로 추정하기도 합니다. 이것이 사실이라면, 바울은 복음을 전하기에 앞서 일자리를 구하러 간 셈입니다.

바울은 낮에는 일하며 돈을 벌고, 저녁과 밤에는 아굴라 부부와 함께 전도했을 것입니다. 이렇게 남들에게 전도비를 받지 않고 자비로 선교하는 것을 '자비량 선교'라고 합니다. 자비량 선교라는 말은 고든 콘웰 신학교 선교학 교수였던 크리스티 윌슨(Christy Wilson) 박사가 그의 책《현대의 자비량 선교사들》(순출판사 역간)에서 처음으로 사용해 널리 알려졌습니다. 그는 20세기 이후에는 자비량 선교가 아니면 세계 선교의 과업을 수행할 수 없다고 말했습니다.

오늘날 이미 전 세계의 상당수 국가는 선교사나 목사와 같은 직업을 가진 사람들에게 선교 목적의 비자를 발급하지 않습니다. 그러나 이런 나라 대부분은 전문 직업을 가진 사람들이 자기 나라를 방문해 그 직업으로 기여하는 것은 환영하고 있습니다. 그리고 실제로 아무리 한 교회가 선교에 헌신하더라도, 우리의 선교 재정에는 한계가 있을 수밖에 없습니다.

그렇다면 오늘날 우리에게 맡기신 주님의 지상 명령의 과제를 어떻게 성취할 수 있을까요? 그 해답은 바로 자비량 선교, 혹은 전문인 선교에 있습니다. 자신의 직업을 가지고 일하면서, 동시에 이 세상이 필요로 하는 복음을 전하는 것입니다. 이를 '평신도 선교'라 하며, 이 일에 헌신하는 사람들을 '평신도 선교사'라고 부릅니다. 저는 모든 성도가 목장 교회를 통해 평신도 선교사가 되어 세상으로 나아가 가정과 일터에서 세상을 변화시키기를 바랍니다. 이것이 바로 우리가 사도 바울에게 배운 자비량 선교의 전략입니다.

'셀 목회' 전략

사도 바울은 처음 고린도에서 유대인 회당을 중심으로 선교한 것으로 보입니다.

> "안식일마다 바울이 회당에서 강론하고 유대인과 헬라인을 권면하니라"(행 18:4).

베뢰아에 남겨 두었던 동역자 실라와 디모데가 고린도에 도착하자, 바울은 더욱 힘을 얻어 열심히 전도합니다.

> "실라와 디모데가 마게도냐로부터 내려오매 바울이 하나님의 말씀에 붙잡혀 유대인들에게 예수는 그리스도라 밝히 증언하니"(행 18:5).

바울은 성령의 능력으로 예수는 구주, 곧 그리스도임을 단순하고도 분명하게 증언했고, 이것이 큰 반향을 불러일으킨 것으로 보입니다. 그러나 바울의 회당 중심의 선교는 이내 장벽에 부딪혔습니다. 바울이 사람들로부터 대적과 비방을 당한 것입니다(행 18:6 참조). 여기서 바울의 새로운 선교 전략이 탄생합니다. 그것은 바로 셀 교회(목장 교회) 전략이었습니다.

"거기서 옮겨 하나님을 경외하는 디도 유스도라 하는 사람의 집에 들어가니 그 집은 회당 옆이라 또 회당장 그리스보가 온 집안과 더불어 주를 믿으며 수많은 고린도 사람도 듣고 믿어 세례[침례]를 받더라"(행 18:7-8).

학자들은 디도 유스도가 이방인이었을 가능성이 크다고 추정합니다. 또한 바울이 박해를 피해 모임 장소를 회당에서 유스도의 집으로 옮긴 것이 이방인 선교의 중요한 전환점이 되었을 것이라고 봅니다.

"그들이 대적하여 비방하거늘 바울이 옷을 털면서 이르되 너희 피가 너희 머리로 돌아갈 것이요 나는 깨끗하니라 이후에는 이방인에게로 가리라"(행 18:6).

유스도와 함께 회심한 것으로 보이는 회당장 그리스보는 고린도에서 영향력 있는 지도자였습니다. 이 두 사람의 회심과 헌신은 바울의 고린도 선교에 결정적인 기폭제가 되었습니다. 비록 유스도의 집에서 모인 셀 모임이었지만, 그 영향력은 적지 않아 많은 고린도인이 이 모임을 통해 주께로 돌아왔습니다. 이에 대해 성경은 "이 성중에 내 백성이 많음이라"(행 18:10)라고 기록하고 있습니다.

흔히 셀 목회의 생명은 전도에 있다고 말합니다. 전도와 아웃리치가 없는 셀 목회는 존재 이유를 상실한 것입니다. 고린도 유대인 회당 옆에서 모인 이 작은 셀 모임은 고린도를 변화시키는 하나님 나라 복음 전파의 핵심 무대가 되었습니다. 우리 역시 셀을 중심으로 선교지에 나아가 복음을 전하는 사명에 변함없이 순종해야 합니다. 자비량 선교의 정신을 배우고 아름다운 팀워크를 이루어 선교의 발걸음을 내디딜 때, 세속의 도시가 성령의 도시로 변화되는 놀라운 역사가 일어나기를 기도해야 합니다.

언제부터인가 단기 선교를 '땅 밟기'라고 부르는 경향이 있는데, 이 표현이 제국주의적 선교의 뉘앙스를 풍긴다고 비판하는 목소리가 높습니다. 그러나 우리의 땅 밟기는 정복이 아니라 축복의 의미를 담아야 합니다. 우리가 밟고 온 그 땅에서 '무엇을 했는가'보다 '무엇을 남기고 왔는가'가 더 중요합니다. 우리가 방문한 그곳에 세상 무엇과도 바꿀 수 없는 사랑과 복음을 남기고 온다면, 그 사랑과 복음이 그 땅의 축복이 되어 단기 선교의 기회를 주신 주님을 영원히 찬양하게 될 것입니다.

–

"바울이 회당에 들어가 석 달 동안 담대히 하나님 나라에 관하여 강론하며 권면하되 어떤 사람들은 마음이 굳어 순종하지 않고 무리 앞에서 이 도를 비방하거늘 바울이 그들을 떠나 제자들을 따로 세우고 두란노서원에서 날마다 강론하니라 두 해 동안 이같이 하니 아시아에 사는 자는 유대인이나 헬라인이나 다 주의 말씀을 듣더라"(행 19:8-10).

19

한 인생에 대한 평가는
영향력에 달렸다

삶의 자리에
믿음의 발자취를 남기라

제3차 전도 여행의 핵심지, 에베소

우리는 계속해서 사도 바울의 천국 비전을 확장하는 여정을 추적하고자 합니다. 드디어 바울은 제3차 전도 여행의 장도에 오르게 됩니다. 안디옥에서 불과 한 달 남짓 쉰 후에 여독이 풀리기도 전에 다시 전도 여행길에 오른 것입니다.

제3차 전도 여행의 여정은 제2차 전도 여행과 거의 동일하게 시작됩니다. 제2차 전도 여행에서 바울의 핵심적인 선교 전략지가 고린도였다면, 제3차 전도 여행에서는 에베소였습니다. 그는 에베소에서 약 3년(행 20:31 참조) 동안 머물며 이 도시의 복음화에 전력

투구했습니다.

사실 제2차 전도 여행 당시, 바울은 에베소에 잠시 들렀다가 떠나면서 꼭 다시 오겠다고 약속한 바 있습니다. 그리고 약속대로 다시 돌아와, 자신의 모든 전도 여행 가운데 가장 오랜 시간을 이곳에서 머물게 됩니다. 그만큼 에베소는 바울에게 전략적으로 매우 중요한 도시였습니다.

당시 에베소는 세계적인 무역 도시로, 인구가 한때 30만 명에 달했습니다. 로마 제국 당시 소아시아 최대의 도시였으며, 동양과 서양을 연결하는 '신 로마'로 불렸습니다. 무려 2만 5천 명을 수용하는 대극장, 체육관, 음악당, 거대한 쇼핑 상가와 대목욕탕 등 다양한 시설을 갖추고 있어, 세계의 많은 여성이 에베소에 방문하기를 소원했다고 합니다.

로마의 집정관 안토니우스(Marcus Antonius)는 이집트 여왕 클레오파트라(Cleopatra Ⅶ Thea Philopator)와 결혼한 후 수시로 에베소에 들러 보석과 화장품을 구입했다고 합니다. 127개의 석주로 이루어진 세계 7대 불가사의 중 하나인 아테미 신전에서는 매년 5월, 세계의 호사가들을 불러 모으는 아테미 여신 축제가 열렸습니다. 그러나 바울은 이 도시가 진정으로 필요로 하는 것이 복음임을 확신했고, 자신의 고귀한 인생을 이 도시에 투자하기로 결단했습니다.

이제 우리는 사도 바울이 전력투구한 에베소 비전의 핵심과 전략 그리고 그 결과를 살펴보고자 합니다.

에베소 사역의 핵심: 하나님 나라의 비전

"바울이 회당에 들어가 석 달 동안 담대히 하나님 나라에 관하여
강론하며 권면하되"(행 19:8).

바울이 에베소에 머무는 동안에도 변함없이 그의 마음을 붙들고
있었던 주제는 하나님 나라의 비전이었습니다. 사실 이것은 예수
님의 비전이었습니다. 예수님이 공생애를 시작하면서 가장 먼저
선포하신 메시지는 "때가 찼고 하나님의 나라가 가까이 왔으니 회
개하고 복음을 믿으라"(막 1:15)였습니다. 그분은 제자들에게 "나라
가 임하시오며"라고 기도하라고 가르치셨습니다. 그런 예수님이
십자가에서 돌아가셨다가 사흘 만에 부활하셨습니다. 부활하신 예
수님이 제자들을 찾아와 다시 가르치신 주제가 무엇이었는지 떠올
려 보십시오.

"그가 고난 받으신 후에 또한 그들에게 확실한 많은 증거로 친히
살아 계심을 나타내사 사십 일 동안 그들에게 보이시며 하나님 나
라의 일을 말씀하시니라"(행 1:3).

사도 바울은 예수님의 제자로서 변함없이 하나님 나라의 비전을
설교하고 펼쳐 보였습니다. 그에게 있어 그 시대의 유일한 희망은
하나님 나라뿐이었습니다. 로마의 통치가 아니라, 하나님의 통치만

이 희망이었던 것입니다. 그리고 이러한 하나님의 통치는 오직 주 예수를 믿고 영접할 때 시작된다는 것이 바울이 에베소에서 3년 동안 선포하고 가르친 복음이었습니다. 이는 지난 2천 년 기독교 역사 속에서 예수님의 모든 신실한 제자들이 전하고자 했던 동일한 메시지이기도 합니다.

몇 해 전, 종교 개혁자 존 칼빈(John Calvin)의 후예를 자처하는 개혁 교회들이 세계 곳곳에서 칼빈 탄생 500주년(1509년 탄생) 기념 행사를 가졌습니다. 그는 본래 프랑스 출신이지만 스위스 제네바를 종교 개혁의 거점 도시로 삼아, 죽기까지 그 도시에서 하나님 나라를 구현하기 위해 노력했습니다.

그의 설교와 가르침의 핵심은 우리 삶의 모든 영역에 대한 하나님의 절대 주권이었습니다. 그는 정교분리(교회와 국가의 정치적 분리)를 주장하면서도, 자신이 살던 제네바가 하나님이 통치하시는 거룩한 도시가 되기를 열망했습니다. 칼빈의 설교와 가르침의 영향을 받은 많은 평신도 지도자가 제네바의 정치, 교육, 문화, 경제 전반에 영향을 끼치기 시작했습니다. 그 결과 도박이 사라지고, 춤과 사치, 방탕이 줄어들며, 소외된 사람들을 끌어안는 거룩하고 살기 좋은 도시로 변화할 수 있었습니다.

그런데 이러한 변화는 제네바에 앞서 이미 에베소에서 먼저 일어났습니다. 바울의 에베소 사역의 핵심 역시 하나님 나라의 비전이었습니다. 바울의 복음 전도로 인하여 우상을 만들어 팔던 상인들과 마술사들이 큰 타격을 입었습니다. 에베소가 복음의 거룩한 충

격을 입은 것입니다. 이러한 하나님 나라의 운동은 지금 우리의 도
시와 마을에도 절실히 필요합니다.

에베소 사역의 전략: 두란노 서원에서의 제자 훈련

그렇다고 에베소 시민 모두가 바울의 메시지를 환영한 것은 아니
었습니다.

> "어떤 사람들은 마음이 굳어 순종하지 않고 무리 앞에서 이 도를
> 비방하거늘 바울이 그들을 떠나 제자들을 따로 세우고 두란노 서
> 원에서 날마다 강론하니라"(행 19:9).

이 도시에도 여전히 바울을 비방하는 무리가 있었습니다. 그러
나 바울은 그들을 대적하는 대신, 자신의 가르침을 수용하는 사람
들을 따로 모아 두란노 서원에서 집중적으로 훈련시켰습니다. 이
는 일종의 제자 훈련이었습니다. 바울은 그리스도의 참된 제자들
이 일어난다면, 반드시 복음이 승리하고 이 도시가 변화될 것이라
고 믿었습니다.

성경학자들 중에는 바울이 2년 동안 말씀을 강론했던 장소가 현
재의 셀수스 도서관 자리일 것이라고 추정하기도 하는데, 그 도서
관은 A.D. 110년경에 지어졌기에 사도 바울 당시에는 존재하지 않

았습니다. 두란노는 아마도 당시 존경받는 철학자의 이름으로, 그 건물의 주인이었을 가능성이 큽니다. 바울은 더운 낮 시간인 오전 11시부터 오후 4시까지 비어 있는 이 공간을 빌려 집회 장소로 사용했을 것으로 보입니다. 이 두란노 서원에서의 제자 훈련이 바로 바울의 에베소 복음화 전략이었습니다.

중요한 것은, 하나님 나라의 운동은 언제나 헌신된 소수의 제자를 통해 펼쳐져 왔다는 사실입니다. 군중이 중요하지 않은 것은 아니지만, 진정한 변화는 충성된 소수에서 시작됩니다. 주일 예배에 참여하는 모든 성도가 소중하지만, 정말 중요한 것은 하나님 나라의 비전을 품고 제자 훈련을 받아 목자와 평신도 선교사로 헌신하는 제자들이라는 말입니다.

칼빈 역시 제네바에서 사역을 시작하자마자 사도 바울처럼 변화를 원치 않는 교권주의자들의 반대에 직면했습니다. 그는 제네바에서 추방되어 3년 동안 조국 프랑스에서 시간을 보내야 했지만, 3년 후 다시 제네바의 부름을 받고 돌아와 더욱 강력하게 말씀으로 제자 삼는 일에 헌신했습니다. 그리고 그 제자들을 통해 제네바의 성시화가 촉진되었습니다.

이제 우리도 '선데이 크리스천'에 머무르지 않고, 남은 생애 동안 말씀으로 제대로 훈련받아 그리스도의 진정한 제자로 살아가야 할 것입니다.

에베소 사역의 결과: 소아시아 복음화

"두 해 동안 이같이 하니 아시아에 사는 자는 유대인이나 헬라인이나 다 주의 말씀을 듣더라"(행 19:10).

사도 바울은 비록 에베소 시내의 작은 건물인 두란노 서원에서 사역했지만, 그 영향력과 결과는 소아시아 전 지역에 미쳤습니다. 아시아에 사는 자는 다 주의 말씀을 들은 것입니다. 어떻게 이런 결과가 가능했을까요? 이는 바울에게 훈련받은 제자들을 통해 이루어진 일이었다고 할 수 있습니다.

한 예로, 사도 바울이 골로새 지방을 직접 방문한 기록은 없습니다. 그럼에도 불구하고 골로새교회가 세워진 것은, 바울의 제자인 에바브라가 에베소에서 바울에게 말씀 훈련을 받고 고향 골로새로 돌아가 교회를 세웠기 때문이라고 학자들은 추정합니다. 요한계시록 2-3장에 등장하는 소아시아 일곱 교회 역시 대부분 그렇게 세워졌을 것입니다. 그리하여 아시아 전체가 복음의 영향을 받아 하나님 나라의 지평이 계속 넓어지고 있었습니다.

한 인생에 대한 진정한 평가는 어떤 영향력을 남겼는가에 달려 있습니다. 그러나 그 영향력은 바울처럼 많은 곳을 여행하지 않더라도, 매일의 삶에서 만나는 사람들을 통해 조용하지만 확실하게 멀리 퍼져 나가는 것입니다. 존 칼빈도 많은 곳을 다닌 것은 아니었습니다. 그는 대부분의 시간을 제네바에서 보냈지만, 그 영향력

은 스위스, 네덜란드, 독일, 벨기에, 영국, 스코틀랜드 등 유럽 전역
의 모든 사회 계층에 깊고도 넓은 영향을 끼쳤습니다.

칼빈은 말년에 과중한 사역으로 건강이 상해 여러 질병을 앓았
지만, 그는 마지막까지 설교와 가르침에 헌신했습니다. 1564년
2월 6일에 마지막 설교를 한 그는 두 달 후인 4월 25일에 마지막 유
언을 남겼습니다.

> 나 존 칼빈, 제네바교회의 말씀의 종은 여러 가지 질병으로 쇠약
> 해진 중에 하나님께서 당신의 가련한 피조물인 나를 불쌍히 여
> 기시고 모든 죄와 약함으로부터 건져 주셨을 뿐 아니라, 나의 일
> 을 통해 당신을 섬길 수 있는 은혜에 참여하게 하셨음을 감사한
> 다. 나는 내 전 구원의 바탕인 그의 은혜의 선택 외에는 그 어떤
> 소망도, 피난처도 가지지 않은 채 하나님께서 내게 주신 그 신앙
> 안에서 살고, 또 그 신앙 안에서 죽기를 소원한다. 나는 하나님
> 께서 우리 주 예수 그리스도 안에 예비해 주신 은혜를 붙들고 그
> 리스도의 고난과 죽음의 공로를 받아들인다. 그를 통해 내 모든
> 죄가 장사지내졌음을 확신한다. 또한 나는 모든 죄인을 위해 흘
> 리신 우리의 위대한 구세주의 피가 나를 깨끗하게 해 주심으로
> 내가 그의 얼굴 앞에 설 때 그의 형상을 입게 되기를 간구한다.

1564년 5월 27일, 이 유언서를 쓰고 나서 정확히 한 달 후, 존 칼
빈은 마지막으로 "내가 잠잠하고 입을 열지 아니함은 주께서 이를

행하신 까닭이니이다"(시 39:9)라는 말씀을 맑은 정신으로 암송한 뒤 평화롭게 눈을 감았습니다. 그의 유언에 따라 장례식은 검소하게 치러졌으며, 그는 묘소에 작은 비석이나 어떤 표식도 없이 제네바 시내 플랭팔레(Plainpalais)에 안장되었습니다. 이후 그의 죽음을 애도한 후학들에 의해 무덤에는 'J. C.'라는 이니셜만 남게 되었는데, 이는 존 칼빈(John Calvin) 자신을 의미하는 동시에, 그의 평생을 통해 드러내고자 했던 인생의 주인 예수 그리스도(Jesus Christ)를 뜻하기도 합니다.

칼빈은 죽었습니다. 그러나 그의 교회 개혁의 비전, 성시화의 비전 그리고 하나님 나라의 비전은 지금도 계속되고 있습니다. 어느 날 다가올 죽음이 오늘을 사는 우리에게 이렇게 묻습니다.

"당신은 당신의 죽음과 함께 이 땅에 어떤 영향을 남기고 가겠습니까? 오늘부터 당신은 어떤 준비를 하겠습니까? 그리고 그 준비에 따라 어떤 변화를 결심하겠습니까?"

우리는 이 질문에 대한 답을 성실하게 준비해야 할 것입니다.

"바울이 밀레도에서 사람을 에베소로 보내어 교회 장로들을 청하니 오매 그들에게 말하되 아시아에 들어온 첫날부터 지금까지 내가 항상 여러분 가운데서 어떻게 행하였는지를 여러분도 아는 바니 곧 모든 겸손과 눈물이며 유대인의 간계로 말미암아 당한 시험을 참고 주를 섬긴 것과 유익한 것은 무엇이든지 공중 앞에서나 각 집에서나 거리낌이 없이 여러분에게 전하여 가르치고 유대인과 헬라인들에게 하나님께 대한 회개와 우리 주 예수 그리스도께 대한 믿음을 증언한 것이라 보라 이제 나는 성령에 매여 예루살렘으로 가는데 거기서 무슨 일을 당할는지 알지 못하노라 오직 성령이 각 성에서 내게 증언하여 결박과 환난이 나를 기다린다 하시나 내가 달려갈 길과 주 예수께 받은 사명 곧 하나님의 은혜의 복음을 증언하는 일을 마치려 함에는 나의 생명조차 조금도 귀한 것으로 여기지 아니하노라"(행 20:17-24).

20

소명은 우리를
끝까지 달리게 한다

응답해야 할 소명에
희생과 인내로 답하라

에베소 사역의 회고

주님의 사역을 하면서 항상 반듯하게 품위를 지키고, 일관성 있게 평생을 달려간다는 것은 결코 쉬운 일이 아닙니다. 그렇다면 사도 바울은 도대체 어떤 마음가짐으로 사역을 감당했을까요? 목회 사역자나 평신도 사역자 모두에게 사도 바울은 최선의 모범이 되는 모델임에 틀림이 없습니다. 평생 전도 여행을 하며 교회들을 개척하고 설립했다는 점에서 목회 사역자의 모델일 뿐 아니라, 텐트 메이킹이라는 직업을 유지하며 선교했다는 점에서는 평신도 자비량 사역자의 롤(role) 모델이기도 합니다.

바울의 제3차 전도 여행은 계속됩니다. 그는 에베소에서 3년간 사역하며 아시아 복음화의 기초를 다진 후 다시 마게도냐를 거쳐 헬라, 곧 그리스로 여행을 떠납니다. 그리고 다시 마게도냐를 거쳐 돌아오는 여정 중 배를 타고 에베소 근처의 밀레도에 도착합니다. 밀레도는 튀르키예 지역 마이안데르강 하구의 라트미안(Latmian)만 남쪽 해변에 위치한 도시로, 에베소에서 멀지 않습니다(약 65킬로미터).

사도 바울은 오순절 전에 예루살렘에 도착하기 위해 시간을 절약하고자 에베소를 직접 방문하는 대신, 3년간 함께 사역했던 에베소 교회 장로들을 밀레도로 초청했습니다. 그곳에서 그들에게 마지막 작별 인사와 당부의 말을 전하고자 했던 것입니다. 바울은 아마도 그들을 다시는 보지 못할 것이라는 예감이 들었던 모양입니다. 그는 비장한 마음으로 자신의 에베소 사역을 회고하며, 지난 3년간 헌신했던 에베소 사역의 본질이 무엇이었는지를 고백합니다.

> "바울이 밀레도에서 사람을 에베소로 보내어 교회 장로들을 청하니 오매 그들에게 말하되 아시아에 들어온 첫날부터 지금까지 내가 항상 여러분 가운데서 어떻게 행하였는지를 여러분도 아는 바니"(행 20:17-18).

그렇다면 이제 사도 바울의 에베소 사역의 본질이 무엇인지에 대해 함께 살펴보도록 하겠습니다.

에베소 사역은 소명의 사역이다

사도 바울의 회심 이후의 삶은 한마디로 소명을 이루기 위한 사역이었다고 할 수 있습니다. 그의 에베소 사역의 본질도 그렇습니다. 소명의 사역을 이루기 위한 3년이었습니다. 이제 그는 마게도냐와 아가야 지방에서 모은 연보를 예루살렘에 전달하고, 마지막 예루살렘 사역을 감당하고자 결심하며 이렇게 고백합니다.

> "오직 성령이 각 성에서 내게 증언하여 결박과 환난이 나를 기다린다 하시나 내가 달려갈 길과 주 예수께 받은 사명 곧 하나님의 은혜의 복음을 증언하는 일을 마치려 함에는 나의 생명조차 조금도 귀한 것으로 여기지 아니하노라"(행 20:23-24).

여기서 사도 바울은 '주 예수께 받은 사명'을 '하나님의 은혜의 복음을 증언하는 일'이라고 말합니다. 그는 이 동일한 복음을 에베소에서도 3년간 증언했습니다.

> "유익한 것은 무엇이든지 공중 앞에서나 각 집에서나 거리낌이 없이 여러분에게 전하여 가르치고 유대인과 헬라인들에게 하나님께 대한 회개와 우리 주 예수 그리스도께 대한 믿음을 증언한 것이라"(행 20:20-21).

이처럼 복음은 하나님께 대한 회개와 예수 그리스도에 대한 믿음입니다. 하나님께 대한 회개, 곧 하나님 앞에서 지은 죄를 회개하고 하나님을 향해 인생을 돌이키는 것이 죄 문제에 대한 유일한 처방이기 때문입니다. 그리고 예수 그리스도에 대한 믿음만이 하나님 앞에 우리가 의롭다 함을 받고 새 인생을 사는 유일한 길이기 때문입니다. 은혜의 복음 없이는 구원도 없고, 이 복음을 받아들이지 않고는 개인도, 민족도 새로워질 수 없습니다. 그래서 바울은 은혜의 복음을 증거하는 일이 바로 자신의 위대한 소명이라고 확신한 것입니다.

기독교 사상가 오스 기니스(Os Guinness)는 그의 명저 《소명》(IVP 역간)에서 소명의 역동성을 다음과 같이 설명합니다.

소명의 특성과 목적은 가장 귀가 멀고 둔감한 자를 제외한 모든 이의 상상력을 자극하고 그 마음과 영혼을 전율케 한다. 그리고 나의 소명은 내 삶의 나침반이 될 것이며 밤에 꾸는 꿈이 아니라 한낮에 꾸는 소명을 가지고 살아갈 것이다.

그는 같은 책에서 밤에 꾸는 꿈과 낮에 꾸는 꿈의 차이를 로렌스(Lawrence)라는 사람의 말을 빌려 이렇게 인용합니다.

모든 사람은 꿈을 꾸지만 똑같은 꿈을 꾸는 것은 아니다. 밤에 먼지 쌓인 마음의 한구석에서 꿈을 꾸는 자는 아침에 일어나면 그것이 헛된 꿈이라는 것을 발견하게 된다. 그러나 한낮에 꿈꾸는 사람은 위험한 사람이다. 왜냐하면 그들은 두 눈을 크게 뜬 채 그 꿈이 이루어지도록 실제로 행동할지도 모르기 때문이다. 내가 바로 그렇게 행동했다.

바울 역시 소명을 따라 낮에 꿈을 꾸는 사람이었고, 실제로 그 꿈을 이루기 위해 복음을 들고 세 차례에 걸쳐 세상을 여행했으며, 이제 그 꿈과 소명을 따라 위험이 기다리는 예루살렘으로 가고자 합니다.

에베소 사역은 희생의 사역이다

모든 위대한 꿈과 소명은 희생 없이 성취된 적이 없습니다. 사도 바울 역시 자신의 소명을 성취하기 위해 희생의 값을 지불해야 했습니다. 그는 자신의 희생의 경험을 한마디로 "모든 겸손과 눈물"(행 20:19)이라고 고백합니다. 복음의 소명을 위해, 또 예수님을 증거하기 위해 바울은 끊임없이 자신을 낮추고 눈물을 흘려야 했던 것입니다.

희생 중의 희생은 자신의 자존심마저 포기하는 것입니다. 바울은 본래 '종'이라는 단어를 싫어했습니다. 그는 갈라디아서 5장 1절에서 "그리스도께서 우리를 자유롭게 하려고 자유를 주셨으니 그러므로 굳건하게 서서 다시는 종의 멍에를 메지 말라"라고 가르친

바 있습니다. 그러나 고린도후서 4장 5절에서는 "우리는 우리를 전
파하는 것이 아니라 오직 그리스도 예수의 주 되신 것과 또 예수를
위하여 우리가 너희의 종 된 것을 전파함이라"라고 말합니다. 예
수님과 복음을 위해서라면 기꺼이 종이 될 수 있어야 한다는 것입
니다. 진실로 이 각오 없이는 복음의 소명을 성취하기가 어렵습니
다. 사도 바울이 자신의 입으로 말한, 복음 때문에 겪은 희생의 경
험을 들어 보겠습니다.

> "내가 수고를 넘치도록 하고 옥에 갇히기도 더 많이 하고 매도 수
> 없이 맞고 여러 번 죽을 뻔하였으니 유대인들에게 사십에서 하나
> 감한 매를 다섯 번 맞았으며 세 번 태장으로 맞고 한 번 돌로 맞고
> 세 번 파선하고 일주야를 깊은 바다에서 지냈으며 여러 번 여행하
> 면서 강의 위험과 강도의 위험과 동족의 위험과 이방인의 위험과
> 시내의 위험과 광야의 위험과 바다의 위험과 거짓 형제 중의 위험
> 을 당하고 또 수고하며 애쓰고 여러 번 자지 못하고 주리며 목마
> 르고 여러 번 굶고 춥고 헐벗었노라"(고후 11:23-27).

이렇게 죽을 고생을 한 바울에게 성령은, 예루살렘에 올라가면
고난을 당할 것이라고 예언하고 있습니다.

> "오직 성령이 각 성에서 내게 증언하여 결박과 환난이 나를 기다
> 린다 하시나"(행 20:23).

그러나 그는 복음을 위해 어떤 희생이 기다린다 해도 기꺼이 예루살렘으로 가겠다고 다짐합니다. 그의 사역은 진실로 희생의 사역이었습니다.

에베소 사역은 인내의 사역이다

우리가 고난과 희생을 당할 때, 그것이 한 번만 꾹 참으면 끝나는 일회성의 고난이나 희생이라면 견디는 것이 어렵지 않을 수 있습니다. 그러나 정말 힘든 것은, 끝날 것 같지 않은 고난에 직면하는 일입니다. 산 순교자라 불렸던 안이숙 여사가 옥중에서 먼저 순교하러 형장으로 나가는 이들에게 자신이 살아 있는 것이 죄송하다고 하자, 그들은 오히려 이렇게 말했다고 합니다.

우리는 죽으면 영광에 들어가겠지만, 자네는 살아서 고난을 받아야 하지 않겠나. 우리 걱정은 말고 부디 자네 자신을 위해 기도를 쉬지 말게나.

바울이 본문에서 회상하는 에베소 사역의 고백을 다시 떠올려 보십시오. "유대인의 간계로 말미암아 당한 시험을 참고 주를 섬긴 것"(행 20:19)이라고 고백하지 않습니까? 그는 실로 오래 참음으로 사역을 감당했습니다. 그 이유는, 영혼들에 대한 사랑 때문이었습니다. 그래서 바울은 "사랑은 오래 참고"(고전 13:4)라고 말할 수 있었던 것입니다. 바울은 진실로 복음의 소명을 위해 희생하고 인내하는 사역을 끝까지 잘 감당했습니다. 그리고 그 결과 놀라운 열매를 이 땅에 남길 수 있었습니다.

한때 〈소명〉이라는 다큐멘터리 영화가 한국 그리스도인들의 가슴에 진한 감동을 남겼습니다. 영화의 주인공인 강명관 선교사는 본래 외국어 고등학교 국어 선생님으로, 남부럽지 않은 행복한 일상을 살아가던 분이었습니다. 그러던 어느 날, 하늘의 소명이 임하면서 그의 모든 것이 변합니다. 그는 소명 때문에 모든 것을 버리고 아마존 정글로 떠납니다. 정글에는 세계에서 가장 작은 부족 중하나인 바나와족(부족 전체 인구가 100여 명)이 그와 그의 가족을 기다리고 있었습니다.

바나와 부족이 사는 지역은 농사가 어려워 극심한 가난에 시달리고 있었고, 그들의 가장 큰 소원은 멧돼지를 한번 실컷 먹어 보는 것이었습니다. 강 선교사는 이들을 섬기며 음식을 나누고, 교육을 제공하고, 문자를 만들어 주고, 성경을 번역하며 그리스도의 사랑을 전했습니다. 그는 때로는 교사, 때로는 의사, 때로는 영양사가 되어 헌신했고, 독충과 독사에 물리면서도 자신을 돌보기보다 죽어 가는 원주민들을 먼저 보살폈습니다.

그의 자녀 예슬이와 한솔이를 인터넷이 잘되고 시설이 좋은 상파울루 선교사 학교에 보내지 않고 1천 킬로미터나 떨어진 쁘라켓꽈라 정글 학교에 보낸 이유를 묻자, 아이들이 대를 이어 정글족을 사랑하는 선교사로 자라 주었으면 하는 마음 때문이라고 대답했습니다.

이 영화를 만든 신현원 감독에게 촬영 중 가장 어려웠던 점이 무엇이었느냐고 묻자, 그는 촬영 중 너무 작아서 보이지도 않는 독충들의 공격을 받아 팔다리가 벌집처럼 되었던 순간이라고 답했습니다. 그때 하나님께 기도하며 이런 응답을 받았다고 합니다.

네가 이곳 아마존에 와서 강 선교사의 삶을 영화화하며 이 정도의 고통도 경험하지 못한다면 어떻게 그의 사역을 필름에 담을 수 있겠느냐? 넌 길어야 한 달의 고통이지만, 강 선교사는 언제 끝날지 모르는 고통과 싸우며 선교하고 있다. 이 고통을 잘 인내하며 그것을 영상으로 표현하여라.

이 다큐멘터리의 후반부를 통해 우리는 아마존 정글 사역 10년의 결실을 엿볼 수 있습니다. 바나와 부족이 "우리는 강 선교사를 통해 하나님의 사랑을 느낀다"라고 고백한 것입니다. 에베소의 장로들이 밀레도의 부두에서 바울과 작별하며 목을 끌어안고 울던 이유도 바로 이런 것이었을 것입니다. 그들은 바울을 통해 하나님의 은혜의 복음을 듣고, 하나님의 사랑을 경험할 수 있었습니다.

은혜가 무엇입니까? 받을 자격이 없는 사람들에게 베풀어진 일방적인 사랑입니다. 우리가 그 사랑으로 복음을 듣고 하나님의 자녀가 되어 사랑의 빚진 자가 되었다면, 이제 우리도 다시 이 사랑을 나누기 위해 하나님의 부르심에 응답해야 할 것입니다. 물론 소명을 받았다고 모두 아마존으로 가야 하는 것은 아닙니다. 어떤 사람의 아마존은 도시의 학교일 수도 있고, 도시의 직장이나 사업장일 수도 있습니다. 강 선교사의 소명은 아마존이었지만, 신현원 감독의 소명은 기독교 영화인으로서 세속 영화의 정글 속에서 하나님의 가치를 증거하는 필름 메이킹이었습니다.

《소명》의 저자 오스 기니스는, 소명에는 일차적 소명과 이차적 소명이 있다고 말합니다. 일차적 소명이 구원받은 후 우리의 일과 시간과 재능으로 주님을 섬기기 시작하는 것이라면, 이차적 소명은 어떤 특정한 장소에서 특정한 과업으로 주님을 섬기도록 부르시는 일이라는 것입니다. 요컨대 소명이란 오스 기니스의 정의처럼 '하나님이 우리를 부르셨기에 우리의 존재 전체, 행위 전체, 소유 전체가 특별한 헌신과 역동성을 가지고 그분의 소환에 응답하여 그분을 섬기는 일에 우리의 일생이 투자되는 것'입니다.

이제 우리도 이러한 소명을 고민해야 할 때입니다. 우리의 삶과 죽음을 걸고 응답해야 할 소명이 무엇인지 찾아야 합니다. 그리고 그 소명에 기꺼이 희생과 인내로 응답해야 할 것입니다. 바울의 고백처럼 말입니다.

"내가 달려갈 길과 주 예수께 받은 사명 곧 하나님의 은혜의 복음을 증언하는 일을 마치려 함에는 나의 생명조차 조금도 귀한 것으로 여기지 아니하노라"(행 20:24).

은혜가 무엇입니까?

받을 자격이 없는 사람들에게 베풀어진

일방적인 사랑입니다.

"닷새 후에 대제사장 아나니아가 어떤 장로들과 한 변호사 더둘로와 함께 내려와서 총독 앞에서 바울을 고발하니라 바울을 부르매 더둘로가 고발하여 이르되 벨릭스 각하여 우리가 당신을 힘입어 태평을 누리고 또 이 민족이 당신의 선견으로 말미암아 여러 가지로 개선된 것을 우리가 어느 모양으로나 어느 곳에서나 크게 감사하나이다 당신을 더 괴롭게 아니하려 하여 우리가 대강 여짜옵나니 관용하여 들으시기를 원하나이다 우리가 보니 이 사람은 전염병 같은 자라 천하에 흩어진 유대인을 다 소요하게 하는 자요 나사렛 이단의 우두머리라 그가 또 성전을 더럽게 하려 하므로 우리가 잡았사오니 당신이 친히 그를 심문하시면 우리가 고발하는 이 모든 일을 아실 수 있나이다 하니 유대인들도 이에 참가하여 이 말이 옳다 주장하니라"(행 24:1-9).

21

하나님의 사랑이
우리의 정체성이다

영혼 사랑이 사도행전 드라마의
시작과 끝이다

고소당한 사도 바울

사도행전 24장은 사도 바울이 고소당하고 있는 장면을 담고 있습니다. 예루살렘 대제사장과 장로들이 더둘로라는 법률가(성경에는 변호사라고 되어 있지만 실제로는 검사 역할을 함)를 고용하여 그를 고발한 것입니다. 우리는 여기서 가이사랴 재판정에서 바울에 대한 고소와 그에 대한 바울의 응답을 볼 수 있습니다.

"닷새 후에 대제사장 아나니아가 어떤 장로들과 한 변호사 더둘로와 함께 내려와서 총독 앞에서 바울을 고발하니라 바울을 부르매 더둘로가 고발하여 이르되"(행 24:1-2).

사도행전 21장을 보면, 바울은 밀레도를 떠나 배로 두로에 도착한 다음(행 21:1-6 참조), 두로에서 돌레마이를 거쳐 가이사랴에 이릅니다(행 21:7-14 참조). 그리고 육로로 가이사랴에서 예루살렘에 입성하게 됩니다(행 21:15-16 참조). 그는 3차에 걸친 전도 여행을 마무리하고, 그 결과를 예루살렘교회에 보고하며 이방 교회들의 헌금을 전달하기 위해 참으로 오랜만에(사실상 마지막으로) 예루살렘을 방문하게 된 것입니다.

그런데 아시아에서 온 유대인들이 바울을 무고하게 고발함으로써, 그는 예루살렘에서 체포되어(행 21:30 참조) 심문을 받게 됩니다. 바울은 심문을 받던 중 자신이 로마 시민권자임을 밝혀 최악의 고문을 면합니다(행 22:25-29 참조). 그리고 그 과정에서 바울을 암살하려는 시도까지 발생합니다(행 23:12-14 참조). 이에 로마의 천부장은 로마 시민권자인 바울을 보호하고자 그를 로마 총독부가 있는 가이사랴로 호송하고(행 23:31-35 참조), 바울은 그곳에서 약 2년여의 옥중 생활을 하게 됩니다.

가이사랴에서 진행된 바울의 재판 장면을 보십시오. 고소자들은 바울을 애매하게 고발하고 있지만, 그들의 고소 내용은 오히려 바울이 어떤 사람이었는지를 역설적으로 보여 줍니다. 우리는 이 재판정에서의 바울의 모습을 통해 참된 그리스도인의 정체성을 찾을 수 있습니다.

복음의 영향력을 확산시키는 사람

바울에 대한 첫 번째 고소 제목은, 그가 전염병처럼 자신들을 소요하게 한다는 것이었습니다.

> "우리가 보니 이 사람은 전염병 같은 자라 천하에 흩어진 유대인을 다 소요하게 하는 자요"(행 24:5).

우선 '전염병', '소요하게 하는 자'라는 표현에 주목해 보십시오. 전염병은 원래 페스트와 같은 질병을 의미하는 말입니다. 이런 표현은 역설적으로, 바울이 전한 복음이 당시 세상에 얼마나 급속하게 전염병처럼 퍼지고 있었는지를 말해 줍니다. 그리고 '천하에 흩어진 유대인을 다 소요하게 하는 자'라는 표현을 통해, 바울이 전한 복음이 당시 세상에 흩어진 디아스포라 유대인들 사이에서 얼마나 강력한 영향력을 행사하고 있었는지도 알 수 있습니다. 결국 유대 종교의 전통주의자들은 바울이 유대인들에게 미치는 영향력을 두려워한 나머지 그의 목숨을 해치고자 했던 것입니다.

복음이 진리라면, 진리는 인간을 자유롭게 하고 변화시키는 능력입니다. 예수님도 "진리를 알지니 진리가 너희를 자유롭게 하리라"(요 8:32)라고 말씀하셨습니다. 바울이 전한 복음이 진리였다면, 그 진리가 유대인 사회를 격동하고 변화시킨 것은 너무나 당연한 결과가 아닙니까? 그렇다면 오늘날의 기독교가 세상에 영향을 끼치지 못하고 변화의 능력을 나타내지 못하는 현실을 우리는 어떻게 설명해야 할까요?

저는 오늘날의 기독교가 참된 복음을 알지 못해 전하지 않거나, 복음을 알면서도 전하지 못하는 비겁한 침묵 속에 안주하고 있다고 생각합니다. 우리에게 주어진 복음이 1세기 성도들에게 주어진 복음과 동일한 것이라면, 다시 복음의 감격을 회복해야 합니다. 그리고 그 복음을 전해야 합니다. 우리는 전염병처럼, 페스트처럼 우리 사회 구석구석에 복음을 퍼뜨려야 합니다. 또 복음으로 인한 거룩한 소요가 일어나도록 해야 합니다. 적어도 사도행전이 보여 준 1세기 그리스도인들처럼 말입니다. 그들은 복음의 거룩한 영향력으로 세상을 뒤흔드는 사람들이었습니다.

그리스도 중심의 삶을 사는 사람

바울을 고소한 또 하나의 이유는, '나사렛 이단의 우두머리'라는 것이었습니다. 이는 바울이 철저하게 예수 그리스도 중심의 삶을 살았음을 역설적으로 반증하는 것이라 할 수 있습니다. 예수님의 별명이 바로 '나사렛 사람'이었기 때문입니다. 복음서에 등장하는 사람들은 예수님을 한결같이 '나사렛 예수'라고 불렀습니다. 마태복음 2장 23절에서는 "나사렛이란 동네에 가서 사니 이는 선지자로 하신 말씀에 나사렛 사람이라 칭하리라 하심을 이루려 함이러라"라고 했습니다. 바울이 다메섹 도상에서 회심의 경험을 고백하는 장면에서도 예수님이 스스로를 '나사렛 예수'라고 칭하신 것을 볼 수 있습니다.

> "내가 대답하되 주님 누구시니이까 하니 이르시되 나는 네가 박해하는 나사렛 예수라 하시더라"(행 22:8).

《열린다 성경》(두란노) 시리즈의 저자인 류모세 선교사는 나사렛이라는 단어가 메시아, 곧 그리스도를 의미한다고 밝히고 있습니다. 본래 나사렛은 히브리어로 '나쯔라트'인데, 이는 올리브 나무의 뿌리에서 나온 가지를 뜻하는 '네쩨르'에서 유래한 말로, 본래 메시아를 의미합니다. 이사야 선지자는 메시아에 대해 "이새의 줄기에서 한 싹이 나며 그 뿌리에서 한 가지가 나서 결실할 것이요"(사 11:1)라고 예언합니다. 따라서 유대인들이 바울을 나사렛 이단의 우두머리로 지목한 것은, 그만큼 그가 철저히 나사렛 사람 그리스도만을 높이고 증거한 반증이라 할 수 있습니다.

어떤 이들은 그리스도인이 그리스도를 높이고 증거하는 것은 당연한 일이 아니냐고 할지도 모릅니다. 그러나 우리의 일상에서 그리스도를 높이고 증거하는 일이 얼마나 이루어지고 있습니까? 사도행전 11장에서 살펴본 것과 같이, 안디옥의 처음 성도들은 불신자들에 의해 '그리스도인'이라 불렸습니다. 이는 그들의 삶의 중심이 그리스도라는 사실을 불신자들조차 알아보았다는 의미입니다.

그런데 왜 우리는 이런 증거를 남기는 삶을 살지 못하고 있는 것일까요? 사실 우리는 대부분 명목상의 그리스도인일 뿐, 실제 대화와 교제의 중심은 여전히 '나의 이야기'로 채워져 있기 때문입니다. '그리스도의 이야기'를 잃어버린 그리스도인, 이것이 우리의 진짜 모습이 아닐까 생각해 봅니다. 이는 신앙의 선배 바울이 추구한 삶과는 너무나 거리가 먼 모습입니다. 바울의 유명한 신앙 고백을 다시 한번 상기해 봅시다.

> "내가 그리스도와 함께 십자가에 못 박혔나니 그런즉 이제는 내가 사는 것이 아니요 오직 내 안에 그리스도께서 사시는 것이라 이제 내가 육체 가운데 사는 것은 나를 사랑하사 나를 위하여 자기 자신을 버리신 하나님의 아들을 믿는 믿음 안에서 사는 것이라"(갈 2:20).

영혼 사랑에 모든 것을 건 사람

사도 바울에 대한 세 번째 죄목은, 성전을 더럽혔다는 것이었습니다.

> "그가 또 성전을 더럽게 하려 하므로 우리가 잡았사오니"(행 24:6).

바울이 이런 고소를 당한 연유는 무엇일까요? 이 비난의 배경은 바울이 체포되던 상황을 묘사한 사도행전 21장을 보면 이해할 수 있습니다.

"외치되 이스라엘 사람들아 도우라 이 사람은 각처에서 우리 백성과 율법과 이곳을 비방하여 모든 사람을 가르치는 그자인데 또 헬라인을 데리고 성전에 들어가서 이 거룩한 곳을 더럽혔다 하니 이는 그들이 전에 에베소 사람 드로비모가 바울과 함께 시내에 있음을 보고 바울이 그를 성전에 데리고 들어간 줄로 생각함이러라 온 성이 소동하여 백성이 달려와 모여 바울을 잡아 성전 밖으로 끌고 나가니 문들이 곧 닫히더라"(행 21:28-30).

진실은 무엇입니까? 바울은 에베소 출신 이방인 드로비모와 함께 아마도 이방인의 뜰을 거닐고 있었을 것입니다. 그러나 유대인들은 바울이 그를 성전 안으로 데리고 들어간 것으로 오해하고 넘겨짚은 것입니다. 당시 성전 법은 이방인과 유대인을 엄격히 구분하고 있었습니다. 이방인이 이방인의 뜰을 지나 성전으로 들어가거나, 그들의 출입을 도와주는 유대인들은 돌에 맞아 죽거나 사형에 처해질 수 있었습니다. 바울은 이 법을 잘 알고 있었으므로 그런 실수를 범할 리 없었습니다. 그럼에도 불구하고 그가 이방인을 데리고 성전 가까이에서 서성거린 것은 위험한 일이었음이 분명합니다.

그렇다면 그는 왜 그런 행동을 했을까요? 여기서부터는 우리의 상상력이 필요합니다. 에베소에서 자신을 돕기 위해 예루살렘까지 동행한 이방인 신자 드로비모에게 바울은 가능한 한 이 거룩한 도시의 역사와 지리 그리고 주 예수 그리스도의 사건을 잘 설명해 주고 싶었을 것입니다. 그런데 공교롭게도 이방인과 나란히 성내를 걷는 바울의 모습이 유대인들의 레이더망에 포착되어 예기치 않은 사태로 발전한 것입니다.

결국 진실은 한 영혼에 대한 바울의 애틋한 사랑과 친절이었습니다. 이 사건으로 바울은 가이사랴 감옥에서 2년, 다시 로마 감옥에서 2년의 세월을 보내야 했습니다. 그러나 성경 어디에도 그가 이 일을 후회한 흔적은 없습니다. 그의 존재 목적, 생존의 이유가 바로 영혼 사랑이었기 때문입니다. 영혼 사랑에 모든 것을 건 사람이 바울이었고, 그것이 바로 성령 충만한 그리스도인의 정체성이었습니다. 우리는 바울의 마지막 서신인 디모데후서 4장 20절에서 드로비모를 언급한 내용을 발견할 수 있습니다.

"에라스도는 고린도에 머물러 있고 드로비모는 병들어서 밀레도에 두었노니."

이것은 드로비모에 대한 사도 바울의 마지막 배려였을 것입니다. 아름답고 기후 좋은 항구 도시 밀레도에서 병든 드로비모가 요양할 수 있도록 배려한 것입니다. 세상을 변화시킨 바울의 도전은 그가 만난 한 영혼에 대한 애틋한 사랑에서 시작되었습니다.

1964년, 마틴 루터 킹(Martin Luther King Jr.) 목사는 노벨상 수상 연설의 마지막에 요한일서 4장 7절 이하의 말씀을 인용했습니다.

"사랑하는 자들아 우리가 서로 사랑하자 사랑은 하나님께 속한 것이니 사랑하는 자마다 하나님으로부터 나서 하나님을 알고 사랑하지 아니하는 자는 하나님을 알지 못하나니 이는 하나님은 사랑이심이라"(요일 4:7-8).

그리고 이런 고백으로 마무리했습니다.

사랑은 이 세상 모든 문제를 풀 수 있는 열쇠입니다(Love is the key to the solution of the problems of the world).

1968년 2월 4일, 그는 자신의 조부가 목회하고 부친과 동역했던 고향 교회인 조지아주 애틀랜타 에벤에셀 침례교회에서 마지막 설교를 하면서 사실상의 유언을 남깁니다.

여기 계신 분들 가운데 내가 죽는 것을 보실 분이 있다면 나를 위해 긴 장례를 할 생각을 하지 말아 달라는 나의 부탁을 꼭 전해 주십시오. 긴 조사도 하지 말아 달라고 말해 주십시오. 또 내가 노벨 평화상 수상자라는 것도 언급하지 말아 주십시오. 내가 그 밖에 수상한 상이 300-400개가 있다는 것도 언급하지 말아 주십시오. 그것들은 하나도 중요하지 않기 때문입니다. 나를 위한 언급이 필요하다면 다만 마틴 루터 킹이 이웃을 섬기는 일에 그의 인생을 드리고자 노력했다는 것을 말해 주시면 고맙겠습니다. 그리고 무엇보다 마틴 루터 킹을 누군가를 사랑하고자 노력했던 사람으로 기억해 주십시오.

이 설교 후 두 달 만에 그는 암살당했고, 그의 마지막 설교는 장례식에서 녹음으로 다시 전해졌습니다.

우리가 만일 마틴 루터 킹 목사처럼, 또 사도 바울처럼 복음의 감격을 회복하고 복음의 주인이신 그리스도를 높이기 시작한다면 그리고 우리 곁에 다가오는 한 영혼, 한 영혼을 참으로 사랑하기 시작한다면, 바울이 경험하고 마틴 루터 킹이 갈망한 세상 변화의 드라마는 바로 우리가 경험하는 오늘의 사도행전의 드라마가 될 것입니다.

당신은 지금 어떤 그리스도인으로 살고 있습니까? 당신의 삶의 마당에 결코 숨길 수 없는 거룩한 영향을 끼치고 있습니까? 우리는 참된 그리스도인임을 드러내며 누군가를 진심으로 사랑하기 위해 오늘을 살아가야 합니다.

우리는 전염병처럼,
페스트처럼 우리 사회 구석구석에
복음을 퍼뜨려야 합니다.
복음의 거룩한 영향력으로
세상을 뒤흔드는 사람들이 되어야 합니다.

"바울이 이같이 변명하매 베스도가 크게 소리 내어 이르되 바울아 네가 미쳤도다 네 많은 학문이 너를 미치게 한다 하니 바울이 이르되 베스도 각하여 내가 미친 것이 아니요 참되고 온전한 말을 하나이다 왕께서는 이 일을 아시기로 내가 왕께 담대히 말하노니 이 일에 하나라도 아시지 못함이 없는 줄 믿나이다 이 일은 한쪽 구석에서 행한 것이 아니니이다 아그립바왕이여 선지자를 믿으시나이까 믿으시는 줄 아나이다 아그립바가 바울에게 이르되 네가 적은 말로 나를 권하여 그리스도인이 되게 하려 하는도다 바울이 이르되 말이 적으나 많으나 당신뿐만 아니라 오늘 내 말을 듣는 모든 사람도 다 이렇게 결박된 것 외에는 나와 같이 되기를 하나님께 원하나이다 하니라"(행 26:24-29).

22

한결같은
복음의 증인이 되라

인생의 목마름은
오직 주님만이 채우신다

법정 앞에 선 사도 바울

우리는 보통 겉과 속이 다른 것을 '위선'이라고 말합니다. 좀 더 고상하게 표현하자면 '일관성의 결여'라고 할 수 있습니다. 신앙인이 욕을 먹는 가장 큰 이유도 바로 이러한 일관성의 부족 때문입니다. 그런 점에서 사도 바울의 일생이 주는 감동 중 하나는 바로 이 일관성입니다. 회당에 들어가든 법정에 서든, 그의 삶의 모습은 언제나 한결같았습니다.

바울은 예루살렘에서 체포된 후 가이사랴 법정으로 호송되어 2년여 동안 재판을 받는 죄수의 몸이 되었습니다. 그러나 그는 재판을 받으면서도 그리스도의 증인답게 법정마저 전도의 장으로 삼아 복음을 전했습니다. 새로 부임한 베스도 총독(행 25:1 참조)과 헤롯 아그립바왕까지 재판 자리에 임한 삼엄한 자리였음에도 불구하고 그는 조금도 위축되지 않았습니다. 오히려 일개 죄수가 당당하게 권력자들에게 복음을 증거하는 일관성 있는 모습을 보여 주었습니다. 그는 "너는 말씀을 전파하라 때를 얻든지 못 얻든지 항상 힘쓰라"(딤후 4:2)라고 한 자신의 말처럼 살고 있었던 것입니다.

그렇다면 우리가 이런 한결같은 복음의 증인으로 살아가기 위해서는 무엇을 준비해야 할까요? 일관성 있는 전도자로 살아가기 위해 우리는 무엇을 준비해야 할까요?

말씀이 준비되어야 한다

심문을 받던 바울이 아그립바왕에게 묻습니다.

"아그립바왕이여 선지자를 믿으시나이까"(행 26:27).

본래 헤롯 아그립바는 유명한 헤롯 대왕의 증손자(아그립바 2세)로서, 증조부 헤롯 대왕이 유대인과 에돔 사람의 혼혈이었지만 자신은 유다의 문화적 전통을 계승하고 있다고 자처하던 인물이었습니다(헤롯 왕가의 마지막 통치자). 그가 유다 백성의 전통을 존중하는 사람이었다면 당연히 성경을 잘 알고 있어야 했습니다. 사도 바울은 아그립바왕과의 대화에서, 자신이 예수를 그리스도라고 증거하는 것은 개인적 철학이 아니라 성경의 증언에 따른 것임을 분명히 하고자 했습니다.

> "아그립바왕이여 그러므로 하늘에서 보이신 것을 내가 거스르지 아니하고"(행 26:19).

이 말은 '나는 내 마음대로 나의 철학을 전하는 것이 아니라, 하늘이 보여 준 계시의 말씀을 순종해 전하고 있다'라는 뜻입니다.

> "하나님의 도우심을 받아 내가 오늘까지 서서 높고 낮은 사람 앞에서 증언하는 것은 선지자들과 모세가 반드시 되리라고 말한 것밖에 없으니 곧 그리스도가 고난을 받으실 것과 죽은 자 가운데서 먼저 다시 살아나사 이스라엘과 이방인들에게 빛을 전하시리라 함이니이다"(행 26:22-23).

결국 바울은 '나는 성경대로 그리스도를 증거한 것'이라고 고백하고 있는 것입니다.

기독교를 다른 종교와 구별할 때 '계시 종교'라고 말합니다. '계시'란 본래 '보여 주다'라는 뜻으로, 인간이 이성으로 찾아낸 것이 아니라 하나님이 먼저 보여 주신 것에 근거합니다. 그런데 신학에서는 이 '계시'를 다시 '일반 계시'와 '특별 계시'로 구분합니다.

'일반 계시'란 하나님이 모든 사람에게 일반적으로 보여 주고 허락하신 진리, 예를 들어 자연, 역사, 양심 등이라고 할 수 있습니다. 그러나 이것만으로는 인간이 구원받을 수 없기에 하나님이 특별히 당신을 계시하고 구원의 길을 알려 주셨는데, 그 대표적인 '특별 계시'가 바로 성경입니다. 예수님도 "너희가 성경에서 영생을 얻는 줄 생각하고 성경을 연구하거니와 이 성경이 곧 내게 대하여 증언하는 것이니라"(요 5:39)라고 말씀하셨습니다.

따라서 우리가 평생 예수님을 증거하고 이웃을 구원(영생)의 길로 인도하려면, 다른 것은 몰라도 성경은 알아야 합니다. 다시 말해, 하나님의 말씀을 알아야 한다는 것입니다. 이 말씀으로 사람들이 예수를 구주로 믿고 구원을 받을 수 있기 때문입니다. 불행한 사실은, 오늘날 교회 안에 성경 문맹자가 많아지고 있다는 것입니다.

그러므로 무엇보다 말씀을 아는 것이 중요합니다. 말씀으로 준비하십시오. 군인이 무기를 사용할 줄 모른다면 어떻게 유능한 군인으로 전투에 투입될 수 있겠습니까? 다른 것은 몰라도 말씀으로 무장된 주님의 군대가 되어야 할 것입니다.

간증이 준비되어야 한다

사도 바울이 전도할 때마다 말씀과 함께 사용한 소중한 전도 도구가 있습니다. 그것은 바로 자신의 신앙 간증입니다. 바울은 사도행전을 통해 본격적으로 전도의 기회를 얻게 될 때마다 신앙 간증을 전합니다. 사도행전 22-26장 사이에도 두 차례에 걸쳐 그의 간증이 기록되어 있습니다. 그런데 흥미롭게도, 이 두 번의 간증 모두 일정한 형식과 틀을 갖추고 있다는 것입니다. 그 틀의 첫째는 '내가 예수 믿기 전에 어떤 사람이었는지'(나의 B.C.)이고, 둘째는 '내가 어떻게 예수를 만나고 믿게 되었는지'이며, 셋째는 '내가 예수 믿고 어떻게 변화되었는지'(나의 A.D.)입니다. 이것이 바로 간증(testimony)입니다.

간증을 쉽게 정의하면, 예수 믿고 '과거의 나'가 '오늘의 나'로 어떻게 변화되었는가를 말하는 것입니다. 마가복음 5장을 보면, 예수님이 귀신 들린 자를 고친 후에 그에게 이렇게 말씀하십니다.

"그에게 이르시되 집으로 돌아가 주께서 네게 어떻게 큰일을 행하사 너를 불쌍히 여기신 것을 네 가족에게 알리라"(막 5:19).

이 말씀에 순종하는 것이 바로 간증입니다. 이제 본문 배경에서 보다 구체적으로 바울의 간증을 살펴보겠습니다.

"내가 처음부터 내 민족과 더불어 예루살렘에서 젊었을 때 생활한 상황을 유대인이 다 아는 바라"(행 26:4).

바울은 예수 믿기 전 자신의 젊은 시절부터 이야기를 시작합니다. 이어서 예수님을 어떻게 만났는지를 이야기합니다.

> "그 일로 대제사장들의 권한과 위임을 받고 다메섹으로 갔나이다
> 왕이여 정오가 되어 길에서 보니 하늘로부터 해보다 더 밝은 빛이
> 나와 내 동행들을 둘러 비추는지라"(행 26:12-13).

그리고 20절부터는 또 다른 이야기가 이어집니다.

> "먼저 다메섹과 예루살렘에 있는 사람과 유대 온 땅과 이방인에
> 게까지 회개하고 하나님께로 돌아와서 회개에 합당한 일을 하라
> 전하므로"(행 26:20).

바울이 이제 이방인들에게 나아가 복음을 전하는 새로운 인생을 살게 되었다는 고백입니다. 이것이 바로 간증입니다.

성경을 잘 몰라도, 예수님을 만나고 그분을 믿는 믿음만 분명하다면 누구나 전도할 수 있습니다. 사마리아 여인도 예수님을 만난 직후 "이분이 나의 과거의 모든 것을 알고 말씀하셨다. 그분은 그리스도임에 틀림없다"라고 말하며 전도했습니다. 이것이 바로 간증 전도입니다.

그러므로 한평생 전도자로 살고자 한다면, 자신의 간증을 준비해야 합니다. 저는 미국 성도들이 자신의 간증을 짧은 책자나 편지로 만들어 가지고 다니며 전도하는 모습을 자주 보았습니다. 자신

의 간증을 준비하십시오. 어렵지 않습니다. 예수 믿기 전에 어떻게 살았는지 그리고 어떻게 예수를 만나 변화되었는지를 이야기하면 되는 것입니다.

존재가 준비되어야 한다

'존재가 준비된다'는 것은 무슨 뜻입니까? 전도를 하려면 어느 정도는 자신의 변화된 삶에 대한 확신, 곧 변화된 자기 존재에 대한 확신이 있어야 한다는 것입니다. 이것을 '존재 전도'(Presence Evangelism)라고 합니다. 말로 복음을 전하는 것을 '선포 전도'(Proclamation Evangelism)라 한다면, 우리의 존재 자체로 전도가 되는 것이 바로 '존재 전도'입니다.

사도 바울은 말로만 전도한 것이 아니라, 변화된 자신의 존재 자체로도 전도했습니다. 바울이 아그립바왕에게 담대하게 복음을 전했을 때, 그 왕이 보여 준 반응을 주목해 보십시오.

> "아그립바가 바울에게 이르되 네가 적은 말로 나를 권하여 그리스도인이 되게 하려 하는도다"(행 26:28).

다시 말하면, "짧은 시간에 몇 마디 말로 나를 설득해서 그리스도인으로 회심시키려 하느냐?"라는 의미입니다. 그러자 사도 바울이 말합니다.

“바울이 이르되 말이 적으나 많으나 당신뿐만 아니라 오늘 내 말을 듣는 모든 사람도 다 이렇게 결박된 것 외에는 나와 같이 되기를 하나님께 원하나이다”(행 26:29).

이 얼마나 대담한 선포입니까? 그는 “이렇게 죄수로 결박되어 여러분 앞에 서 있는 모습만 빼고는, 나는 여러분 모두가 나와 같이 되었으면 좋겠습니다. 내 마음속에 있는 평화를 당신들도 누렸으면 좋겠습니다. 내 영혼에 넘치는 구원의 기쁨을 당신들도 알았으면 좋겠습니다. 나를 위해 예비된 천국을 향한 놀라운 내세의 희망을 당신들도 알았으면 좋겠습니다. 아니, 오늘 여기서 내가 살아가는 이유와 목적이 되어 주신 예수 그리스도를 당신들도 만났으면 좋겠습니다. 지금 이 순간도 내 마음속에 살아 계셔서 나를 인도하는 삶의 주인이신 예수 그리스도를 당신들도 만났으면 좋겠습니다”라고 말하며 전도한 것입니다. 이것이 바로 ‘존재 전도’의 한 사례입니다.

이런 바울의 선언에 대해 당대의 권력자들은 이구동성으로 “이 사람은 사형이나 결박을 당할 만한 행위가 없다”(행 26:31)라고 말합니다. 아그립바왕조차 바울이 로마의 황제에게 상소만 하지 않았다면 당장 석방하는 것이 마땅하다고 말합니다. 그들은 바울의 무죄함과 그의 삶의 순결을 알아차린 것입니다.

그들은 바울의 삶을 부러워했습니다. 바울은 분명 세상의 권력이 주지 못하는 무엇인가를 소유한 사람이었습니다. 그는 세상의 황금으로는 살 수 없는 내면의 행복을 가진 자임에 틀림없었습니다.

그리스도 안에 사는 바울의 깊은 존재를 만나자, 그들은 모두 목마른 영혼이 된 것입니다. 세상의 목마름은 바울이 만난 그리스도, 그리스도의 하나님이 아니고서는 결코 채워질 수 없습니다.

제가 좋아하는 〈소금 인형〉 이야기를 들려 드리고 싶습니다. 소금 인형은 늘 목이 말랐습니다. 그의 목마름은 어떤 것으로도 해소되지 않았습니다. 그러던 어느 날, 그는 큰 바다 이야기를 듣고 여행을 시작해 마침내 바다에 도착했습니다. 그는 너무 기뻐 발을 바다에 담갔고, 바다는 그의 발을 녹여 버렸습니다. 소금 인형은 아팠습니다. 다음 순간 바다는 다시 출렁거리며 다가와 그의 다리를 잘라 갔습니다. 더 아팠습니다. 또다시 바다는 출렁이며 그의 허리를 잘라 갔습니다. 더욱더 아팠습니다. 그러자 이번에는 바다가 출렁이며 다가와 그의 가슴을 잘라 갔습니다. 소금 인형은 점점 더 아프고 고통스러웠습니다. 바다는 계속 출렁이며 다가와 그의 목을 잘랐고, 그의 목과 머리가 바다에 잠기는 순간 소금 인형이 외쳤습니다.

"맞아. 내가 바다였지. 내가 바다야!"

소금 인형이 자신의 모태인 바다를 찾고 그 안에 잠기는 순간, 그는 비로소 목마르지 않게 되었습니다.

이 바다가 사랑의 하나님이라고, 우리를 받아 주고 품어 주며 우리의 죄를 씻어 새롭게 하시는 그리스도라고, 십자가에서 우리를 위해 죽으시고 다시 사신 그리스도라고 전해야 하지 않겠습니까? 이것이 바로 복음 전도입니다.

"우리가 풍랑으로 심히 애쓰다가 이튿날 사공들이 짐을 바다에 풀어 버리고 사흘째 되는 날에 배의 기구를 그들의 손으로 내버리니라 여러 날 동안 해도 별도 보이지 아니하고 큰 풍랑이 그대로 있으매 구원의 여망마저 없어졌더라 여러 사람이 오래 먹지 못하였으매 바울이 가운데 서서 말하되 여러분이여 내 말을 듣고 그레데에서 떠나지 아니하여 이 타격과 손상을 면하였더라면 좋을 뻔하였느니라 내가 너희를 권하노니 이제는 안심하라 너희 중 아무도 생명에는 아무런 손상이 없겠고 오직 배뿐이리라 내가 속한바 곧 내가 섬기는 하나님의 사자가 어제 밤에 내 곁에 서서 말하되 바울아 두려워하지 말라 네가 가이사 앞에 서야 하겠고 또 하나님께서 너와 함께 항해하는 자를 다 네게 주셨다 하였으니 그러므로 여러분이여 안심하라 나는 내게 말씀하신 그대로 되리라고 하나님을 믿노라 그런즉 우리가 반드시 한 섬에 걸리리라 하더라"(행 27:18-26).

23

풍랑 속에도
말씀의 등대는 비춘다

어둠 가운데
말씀의 빛은 더욱 선명하다

큰 풍랑 앞에서의 위로

고통의 풍랑을 만났을 때 가장 필요한 것은 위로입니다. 하지만 그 위로가 오히려 고통을 더 가중시킬 때도 있습니다. 욥의 친구들의 위로가 오히려 욥을 더 궁지에 몰아넣었던 것처럼 말입니다. 본문 말씀은 사도 바울이 항해 중 풍랑을 만났을 때 선객들을 위로하는 장면입니다. 여기서 우리는 진정한 위로가 어떻게 이웃들에게 전해져야 하는지를 배우게 됩니다.

마침내 죄수 바울은 자신이 로마 시민권자임을 밝혀 가이사 황제의 최종 판결을 받고자 이스라엘 가이사랴 항구에서 이탈리아 로마행 배에 오릅니다.

> "우리가 배를 타고 이달리야에 가기로 작정되매 바울과 다른 죄수 몇 사람을 아구스도대의 백부장 율리오란 사람에게 맡기니"(행 27:1).

이제 바울은 해로를 통해 로마로 이송됩니다. 가이사랴항에서 두로를 거쳐 소아시아 남단의 항구 도시이자 지중해의 관문이었던 무라(행 27:5 참조)를 지나 여러 날 만에 니도(행 27:7 참조) 맞은편에 이르렀으나, 심한 바람으로 기착하지 못하고 그레데섬 방면으로 항해를 진행합니다.

그런데 그레데 해변을 끼고 항해하던 중 갑자기 유라굴로 광풍이 밀려오기 시작합니다. 이 바람은 남풍이 그레데섬의 중앙에 솟은 2,456미터의 이다산맥과 부딪치며 발생한 강력한 북동풍으로, 배를 남서쪽 망망대해로 밀어내 파선 직전으로 몰고 갔습니다. 선원들은 배의 기구를 다 버리며 악전고투했지만, 풍랑은 잦아들지 않았습니다.

> "여러 날 동안 해도 별도 보이지 아니하고 큰 풍랑이 그대로 있으매 구원의 여망마저 없어졌더라"(행 27:20).

저는 우리가 사는 이 시대가 바로 이런 상황에 처해 있지 않나 생각합니다. 세계적인 경제 위기의 풍랑도 잦아들지 않고, 세계 유일의 분단국가로서 남북 대치의 상황도 나아질 기미가 보이지 않습니다. 이런 역사의 풍랑 속에서 우리가 해야 할 일은 무엇일까요? 인생의 파도, 역사의 풍랑 속에서 우리가 해야 할 일이 무엇인지 사도 바울을 통해 배워 보도록 하겠습니다.

하나님의 음성을 들으라

중요한 것은, 이런 절망적 풍랑 속에서도 사도 바울은 자신에게 말씀하고 계시는 하나님의 음성을 들을 수 있었다는 사실입니다.

> "바울아 두려워하지 말라 네가 가이사 앞에 서야 하겠고 또 하나님께서 너와 함께 항해하는 자를 다 네게 주셨다 하였으니"(행 27:24).

여기서 기억해야 할 더 중요한 사실이 있습니다. 그것은 바울이 하나님의 음성을 들을 수 있도록 하나님 곁에 가까이 머물렀다는 점입니다. 다시 말해, 바울과 하나님 사이의 소통의 채널이 항상 열려 있었다는 것입니다.

> "내가 속한바 곧 내가 섬기는 하나님의 사자가 어제 밤에 내 곁에 서서 말하되"(행 27:23).

하나님의 천사는 거친 풍랑 속에서도 바울 곁에 가까이 머물며 하나님의 음성을 전달했습니다. 아무리 풍랑이 몰아쳐도 역사의 주인인 전능하신 하나님이 우리 곁에 계신다면 무엇을 염려하고 걱정할 필요가 있겠습니까? 그 하나님이 지금 바울에게 말씀하십니다.

"두려워 마라! 너는 가이사 앞에 서게 될 것이다! 너 때문이라도 너와 함께 항해하는 자들을 내가 책임지겠다."

우리는 바울처럼 하나님의 음성을 듣는 귀가 열려 있는지 돌아보아야 합니다. 미국의 설교자 피터 로드(Peter Lord)는 어느 날 자신의 집에서 열린 파티에 플로리다대학의 한 곤충학자를 초대한 적이 있었습니다. 그 곤충학자는 집 뒤뜰과 연결된 숲을 산책하고 와서, 그 숲에는 적어도 열여덟 가지 종류의 귀뚜라미가 살고 있다고 말했습니다.

"귀뚜라미요?"

피터 로드는 여러 해 동안 그 집에 살았지만, 한 번도 귀뚜라미 소리를 의식적으로 들어 본 적이 없었습니다. 곤충학자는 자신이 약 200여 종의 귀뚜라미 소리를 구분할 수 있다고 했습니다. 그때 피터 로드는, 듣는 귀는 훈련될 수 있고, 사람은 듣기를 배워야 한다는 사실을 깨달았습니다.

아가서는 "내가 잘지라도 마음은 깨었는데 나의 사랑하는 자의 소리가 들리는구나"(아 5:2)라고 말씀합니다. 또한 이사야 선지자는 고백하기를 "아침마다 깨우치시되 나의 귀를 깨우치사 학자들같이 알아듣게 하시도다"(사 50:4)라고 말했습니다.

우리를 둘러싼 대기권은 온갖 소리로 가득 차 있지만, 우리는 그 소리들을 듣지 못할 때가 많습니다. 왜 그렇습니까? 주파수가 맞지 않기 때문입니다. 당신의 기도의 주파수를 주님께 맞추어 주님의 음성을 듣는 귀가 열리기를 바랍니다. 그분의 음성이 들리기 시작하면 아무것도 두려워하거나 걱정할 필요가 없습니다. 우리의 인생이 풍랑을 만날 때 가장 먼저 해야 할 일은, 하나님의 음성을 듣는 것입니다.

하나님의 말씀을 믿으라

"그러므로 여러분이여 안심하라 나는 내게 말씀하신 그대로 되리라고 하나님을 믿노라"(행 27:25).

우리 영혼의 귀에 하나님의 음성이 들려온다 해도, 우리가 그것을 믿지 못한다면 그것은 독백이나 환청에 불과할 것입니다. 중요한 것은, 하나님의 음성을 믿는 것입니다. 성경의 하나님은 '말씀하시는 하나님'이며, 또한 '말씀하신 그대로 이루시는 하나님'임을 믿어야 합니다. 이사야 선지자는 이렇게 말합니다.

"이는 비와 눈이 하늘로부터 내려서 그리로 되돌아가지 아니하고 땅을 적셔서 소출이 나게 하며 싹이 나게 하여 파종하는 자에게는 종자를 주며 먹는 자에게는 양식을 줌과 같이 내 입에서 나가는 말도 이와 같이 헛되이 내게로 되돌아오지 아니하고 나의 기뻐하는 뜻을 이루며 내가 보낸 일에 형통함이니라"(사 55:10-11).

우리 믿음의 선배들은 이를 가리켜 '약속의 말씀을 붙들고 산다'라고 표현했습니다. 우리 인생의 바다에 아무리 큰 풍랑이 일어난다 해도, 약속의 말씀을 믿고 그 말씀을 붙들고 나아간다면 어떤 풍랑도 우리를 좌절시키지 못할 것입니다.

〈만세 반석 열리니〉(새찬송가 494장)의 작사자인 영국의 어거스터스 톱레이디(Augustus Toplady) 목사는 세상에 태어난 다음 해에 아버지가 전사하여 홀어머니 밑에서 자랐습니다. 그의 인생은 가난과 질병으로 점철되었고, 불과 38세의 짧은 생을 살았습니다. 그러나 그는 세상을 떠나기 전 마지막 유언에서 이렇게 고백했습니다.

나는 나의 영혼을 전능하신 하나님께 겸손히 의탁합니다. 그분은 내가 오랫동안 경험해 온 가장 은혜로우시고 무한히 자비로우신 나의 아버지이십니다. 나는 그리스도 예수 안에서 나타난 그분의 영원하고 변함없는 사랑에 근거하여 나의 선택과 칭의 그리고 영원한 행복에 대해 조금도 의심하지 않습니다. 나는 그리스도의 피로 씻김 받고, 그분의 의로움으로 옷 입혀졌으며, 그분의 공로로 완전하고 죄 없으며 온전하게 설 것을 확신합니다.

그는 자신을 선택하고 구원하신 주님이 약속의 말씀을 따라 자신을 영원히 행복하게 하실 것을 확실히 믿었고, 이 믿음으로 인생의 가난과 질병 그리고 죽음의 풍랑 속에서도 여전히 감사하고 찬양할 수 있었습니다. 그러므로 인생의 풍랑, 역사의 풍랑을 만날 때 우리가 해야 할 일은 하나님의 음성을 듣고 그분의 약속의 말씀을 믿는 것입니다.

하나님의 위로를 전하라

바울은 하나님의 음성, 하나님의 말씀으로 자신이 위로를 받는 데 그치지 않았습니다. 그는 자신과 함께 동일한 풍랑 속에서 고생하던 이웃들에게도 참된 위로를 나누었습니다.

> "내가 너희를 권하노니 이제는 안심하라 너희 중 아무도 생명에는 아무런 손상이 없겠고 오직 배뿐이리라"(행 27:22).

이 위로의 메시지는 25절에서도 반복됩니다.

> "그러므로 여러분이여 안심하라 나는 내게 말씀하신 그대로 되리라고 하나님을 믿노라"(행 27:25).

우리나라에도 이런 지도자가 절실히 필요합니다. 한 나라의 지도자가 풍랑 속에 있는 백성에게 이렇게 말하는 장면을 상상해 보십시오.

"국민 여러분, 안심하십시오. 하나님은 저에게 기도 중에 우리 조국의 배가 내일 번영의 항구에 반드시 도착하게 되리라고 말씀하셨습니다. 저는 그 하나님을 믿습니다."

또 풍랑 속에 있는 회사의 직원들에게 CEO가 이렇게 말하는 장면을 상상해 보십시오.

"여러분, 안심하십시오. 하나님은 어제 저에게 우리 회사가 수년 내에 놀라운 은혜를 입고 재기하여 세계 선교를 위해 존귀하게 쓰임 받는 회사가 되리라고 말씀하셨습니다. 저는 그 하나님을 믿습니다."

가정적으로 풍랑을 겪고 있던 어느 날, 그 집의 가장이 가족들을 모아 가정 예배를 드리면서 이렇게 말하는 장면도 상상해 볼 수 있습니다.

"사랑하는 나의 아내(남편) 그리고 나의 자녀들아. 어제 나는 QT 중에 주의 음성을 들었단다. 우리가 겪고 있는 이 고난은 우리 가정을 새롭게 쓰시기 위한 하나님의 연단이라고 말이다. 이제 이 고난이 곧 끝나고 우리는 새 역사를 쓰게 될 것이란다. 그러니 안심하고 아빠(엄마)와 함께 기도의 무릎을 꿇고 새로운 내일을 어떻게 맞을 것인지 준비했으면 좋겠다."

이런 나라, 이런 회사, 이런 가정의 내일을 상상할 수 있겠습니까? 우리의 역사는 이런 지도자, 이런 CEO, 이런 가장을 기다리고 있습니다.

박정희 대통령이 새마을 운동을 통해 조국 근대화에 매진하고 있을 때, 당시 대통령 못지않게 우리 사회에 위대한 도덕적, 정신적 영향을 끼친 분이 있습니다. 지금은 고인이 되신 가나안농군학교의 김용기 장로님입니다. 얼마나 많은 회사, 관공서, 학교, 교회 등이 당시 가나안농군학교 교육을 받으며 새 나라의 비전을 키워 갔는지 모릅니다.

가나안 운동은 사실상 새마을 운동의 정신적 기초를 제공한 운동입니다. 저 역시 교회 개척 초창기에 여름 수련회를 통해 전 교인과 함께 가나안농군학교에 입소해 교육을 받았던 기억이 지금도 생생합니다. 물론 그때는 김용기 장로님이 타계하신 후, 그의 아들 김종일 목사님이 교장으로 계시던 시절이었습니다.

본래 가나안농군학교는 일제 강점기인 1935년, 김용기 장로님이 농민 운동과 복민 이념을 기초로 조국 광복과 이후 복된 조국의 미래를 꿈꾸며 시작한 운동이었습니다. 그분의 일생의 모토는 '한 손에 성경, 한 손에 괭이를!'이었습니다. 그는 용인, 광주, 원주 등지에서 시작해 조국 방방곡곡의 황무지를 개간하며 가나안의 이상촌을 건설하고 복된 민족을 일으켜 세우고자 했습니다. 그는 나라와 민족이 어려울 때마다 산 중턱에 있는 기도실에 들어가 민족을 위해 중보 기도하던 사람이기도 했습니다. 그 기도실 입구에는 '조국이여, 안심하라'라고 쓰여 있었다고 합니다.

　우리가 참으로 우리나라, 우리 회사, 우리 교회 그리고 우리 가정을 위해 중보 기도하는 자라면 이렇게 말할 수 있을 것입니다.

　“조국이여, 안심하라!”

　“한국 교회여, 안심하라!”

　“사랑하는 나의 가족들이여, 안심하라!”

우리 인생의 바다에 아무리 큰 풍랑이 일어난다 해도,

약속의 말씀을 믿고 그 말씀을 붙들고 나아간다면

어떤 풍랑도 우리를 좌절시키지 못할 것입니다.

"우리가 로마에 들어가니 바울에게는 자기를 지키는 한 군인과 함께 따로 있게 허락하더라 사흘 후에 바울이 유대인 중 높은 사람들을 청하여 그들이 모인 후에 이르되 여러분 형제들아 내가 이스라엘 백성이나 우리 조상의 관습을 배척한 일이 없는데 예루살렘에서 로마인의 손에 죄수로 내준 바 되었으니 로마인은 나를 심문하여 죽일 죄목이 없으므로 석방하려 하였으나 유대인들이 반대하기로 내가 마지못하여 가이사에게 상소함이요 내 민족을 고발하려는 것이 아니니라 이러므로 너희를 보고 함께 이야기하려고 청하였으니 이스라엘의 소망으로 말미암아 내가 이 쇠사슬에 매인 바 되었노라 그들이 이르되 우리가 유대에서 네게 대한 편지도 받은 일이 없고 또 형제 중 누가 와서 네게 대하여 좋지 못한 것을 전하든지 이야기한 일도 없느니라 이에 우리가 너의 사상이 어떠한가 듣고자 하니 이 파에 대하여는 어디서든지 반대를 받는 줄 알기 때문이라 하더라"(행 28:16-22).

24

고난의 감옥에도
희망의 아침은 밝아 온다

장해물을 넘어야
결승점에 들어갈 수 있다

멜리데섬의 환대

열심히 기도했는데도 상황이 나아지지 않고 오히려 더 악화되는 경험을 한 적이 있을 것입니다. 그렇다고 기도하는 것이 무슨 의미가 있느냐며 기도를 게을리하거나 포기하겠습니까?

지금까지 우리가 추적해 온 사도 바울의 전도 여행은 기도로 시작된 것이었습니다. 사도행전 13장 3절을 보면, 안디옥교회가 금식하며 기도하고 바나바와 바울 두 사람을 선교사로 떠나보냈다고 기록되어 있습니다. 그리고 바울은 선교 여정 내내 줄곧 기도로 사역을 감당해 왔습니다. 그는 자신의 권면처럼 쉬지 않고 기도하며 선교의 과제를 수행했습니다. 바울은 빌립보의 감옥에 갇힌 깊은 밤에도 기도했습니다.

"한밤중에 바울과 실라가 기도하고 하나님을 찬송하매"(행 16:25).

또한 밀레도에서 에베소 장로들과 작별할 때도 무릎을 꿇고 기도했습니다(행 20:36 참조). 그러나 그의 쉬지 않는 기도에도 불구하고 고난은 면제되지 않았습니다. 오히려 기도하며 걷는 선교의 길에는 더 큰 고난이 기다리고 있었습니다.

제3차 전도 여행을 마무리하며 예루살렘으로 올라간 바울은 체포되어 가이사랴 감옥에서 2년간 억울한 옥살이를 하게 됩니다. 마침내 가이사에게 항소하여 로마로 향하는 항해 길에 오르지만, 풍랑을 만나 배는 파손되고, 가까스로 목숨을 건져 멜리데(몰타)라는 섬에 당도하게 됩니다.

그런데 사도행전 28장 전반부를 보면, 멜리데섬에서 바울 일행은 섬 사람들의 특별한 호의를 입어 휴식하고 요양하며 회복의 시간을 갖게 됩니다. 비록 바울이 뱀에 물리는 사고가 있었지만, 치유되는 것을 본 섬사람들은 오히려 바울에게 치유 기도를 부탁하게 됩니다. 바울이 섬의 가장 높은 사람인 보블리오의 부친을 치유하자 많은 섬 사람이 모여들어 그들을 위한 치유 사역을 감당하게 된 것입니다(행 28:7-10 참조).

멜리데는 이탈리아 시칠리아 남쪽 95킬로미터에 위치한 작은 섬입니다. 교회 전승에 따르면, 보블리오는 바울에게 전도를 받고 후에 그 섬의 목회자가 되어 박해가 왔을 때 순교했다고 전해집니다.

지금도 이 섬사람들은 파선하여 도착한 바울 일행을 잘 대접한 것을 자랑스럽게 여기고 있습니다. 그 결과 이 섬은 복음화율이 98퍼센트가 되었고 경제적으로도 매우 부유한 섬(관광 수입)이 되었습니다. 나그네를 잘 대접한 것이 섬 전체가 복을 받는 결과를 초래한 것입니다. 현재 이 섬에는 바울이 독사에게 물린 곳, 보블리오의 별장이 있던 곳에 바울 기념 교회들이 세워져 있습니다. 또한 이 섬의 수도 발레타에는 로마의 베드로 성당 못지않은 아름답고 거대한 성당도 세워져 있습니다.

이제 바울 일행은 섬사람들의 특별한 환대를 받으며 최종 목적지인 로마로 출항하게 됩니다.

"후한 예로 우리를 대접하고 떠날 때에 우리 쓸 것을 배에 실었더라"(행 28:10).

그리고 마침내 로마에 도착합니다.

"우리가 로마에 들어가니"(행 28:16).

바울은 꿈의 도시 로마에 도착했습니다. 그러나 그것은 많은 고난을 겪은 끝에야 이루어진 것이었습니다. 그렇다면 바울의 로마 입성이 보여 주는 고난의 교훈은 무엇일까요?

고난은 때로 기도의 응답이다

무엇보다 우리는 바울의 로마 입성이 기도의 응답이었음을 잊지 말아야 합니다. 바울은 로마교회에 보내는 서신에서 이렇게 고백합니다.

> "내가 그의 아들의 복음 안에서 내 심령으로 섬기는 하나님이 나의 중인이 되시거니와 항상 내 기도에 쉬지 않고 너희를 말하며 어떻게 하든지 이제 하나님의 뜻 안에서 너희에게로 나아갈 좋은 길 얻기를 구하노라"(롬 1:9-10).

당시 세계의 수도였던 로마의 복음화 없이는 세계의 복음화도 없다고 판단했던 바울의 기도 제목 1순위는 "로마로 가게 하옵소서"였습니다. 그러나 그 길은 쉽게 열리지 않았습니다.

> "그러므로 또한 내가 너희에게 가려 하던 것이 여러 번 막혔더니"(롬 15:22).

이 말씀에서 우리는 길이 쉽게 열리지 않고, 오히려 막힌 길로 인한 바울의 안타까운 마음을 읽을 수 있습니다.

그런데 한 사건이 바울을 로마로 인도했습니다. 바로 예루살렘에서의 체포와 가이사랴에서의 재판 그리고 가이사에게 항소한 사건의 진전 때문이었습니다. 바울은 로마행을 위해 기도하면서, 아마도 로마 성도들과 시민들의 열렬한 환영 속에 로마로 입성하는 자신의 모습을 상상했을지도 모릅니다. 그러나 그는 아주 뜻밖에도 죄수의 몸이 되어 재판을 받기 위해 로마에 입성하게 되었습니다. 이것 역시 기도의 응답이었습니다. 바울이 기대했던 방식은 아니지만, 분명한 기도의 응답이었습니다.

그렇다면 왜 하나님은 고난의 길을 가게 하시면서도 그의 기도에 응답하셨을까요? 만일 고난이나 장해물 없이 순탄하게 그 길을 갔다면, 바울은 자신의 전략이나 계획의 지혜로움을 자만하는 사람이 되었을지도 모릅니다. 그러나 지속되는 고난으로 인해 그는 기도하며 갈 수밖에 없었고, 장해물을 하나씩 극복할 때마다 하나님의 도우심을 실감할 수 있었습니다.

그렇다면 우리의 기도 응답의 과정에도 이미 고난이 포함되어 있다고 보아야 합니다. 하나님은 반드시 우리의 기도에 응답하십니다. 단, 그 응답의 여정에는 고난이 포함될 수 있다는 것을 명심해야 합니다. 그래서 어떤 계획을 시작하며 기도할 때, 그 시작의 순간만이 아니라 그 계획이 진행되는 과정에도 기도의 끈을 놓지 말아야 합니다. 그리고 기도하며 시작한 일에 고난이 왔다 해도 실망하지 말고, 오히려 그 고난이 기도 응답의 과정임을 깨닫고 기뻐해야 합니다.

고난은 때로 섭리의 실현이다

고난은 기도 응답일 뿐만 아니라, 하나님의 섭리를 이루는 방식임을 기억해야 합니다. 왜 하나님은 바울을 죄수의 몸으로 로마에 오게 하셨을까요? 이제부터 그 놀라운 섭리의 신비한 측면을 묵상해 보겠습니다.

바울이 예루살렘에 온다는 소문이 퍼졌을 때 가장 기뻐한 사람들은 유대의 율법주의자들이었습니다. 그들은 각처에서 유대인들을 개종시켜 유대교를 위축시키고 이상한 종교를 퍼뜨리는 바울을 더 이상 두고 볼 수 없었습니다. 그들은 이번에야말로 그를 제거할 절호의 기회라고 생각했습니다.

> "날이 새매 유대인들이 당을 지어 맹세하되 바울을 죽이기 전에는 먹지도 아니하고 마시지도 아니하겠다 하고 이같이 동맹한 자가 사십여 명이더라"(행 23:12-13).

이처럼 40여 명의 자객이 바울의 목숨을 노리는 상황에서, 만일 사도 바울이 몇몇 사람과 함께 한가롭게 로마로 향하고 있었다면 과연 무사히 도착할 수 있었을까요? 그러나 바울은 지금 로마 가이사 황제의 재판을 받기 위한 특별 VIP 죄수로, 잘 훈련된 로마의 특별 경호대의 호위를 받으며 목숨의 안전을 보장받고 로마로 이동하는 중입니다.

게다가 바울이나 그의 선교 팀 일행은 경제적으로 여유 있는 사람들도 아니었기에, 로마까지 가는 뱃삯도 만만치 않았을 것입니다. 그런데 죄수의 신분으로 가게 되니 아무런 비용도 들지 않았습니다. 이 얼마나 신묘막측한 하나님의 섭리입니까? 그래서 하나님은 우리에게 이렇게 말씀하십니다.

"이는 내 생각이 너희의 생각과 다르며 내 길은 너희의 길과 다름이니라 여호와의 말씀이니라 이는 하늘이 땅보다 높음같이 내 길은 너희의 길보다 높으며 내 생각은 너희의 생각보다 높음이니라"(사 55:8-9).

그러므로 인생이 우리의 뜻, 우리의 계획, 우리의 생각대로 되지 않는다고 좌절하지 마십시오. 기도하고 사는데도 왜 고난이 더해지느냐고 불평하지 마십시오. 기도하며 시작한 일인데 고난의 장해물이 있거든 오히려 기뻐하십시오. 바로 그 고난의 장해물이 하나님의 놀라운 섭리의 방편이 될 수 있습니다.

고난은 복음의 진보를 초래한다

바울은 이제 로마에 도착해 재판을 기다리게 됩니다. 아마도 처음
로마에 입성했을 때, 그는 재판을 받고 형이 확정되기까지 일종의
연금 상태에 있었던 것으로 보입니다.

> "우리가 로마에 들어가니 바울에게는 자기를 지키는 한 군인과 함
> 께 따로 있게 허락하더라"(행 28:16).

그렇다고 바울의 상황이 편안했던 것은 아닙니다. 존 스토트는
사도행전 주석을 통해, 이때 바울은 그의 오른쪽 손목이 로마 군인
에게 사슬로 묶인 채 24시간 교대로 감시당하는 상태였다고 설명
합니다. 그럼에도 불구하고 면회는 상당히 자유롭게 허용된 상태
였습니다. 이런 상황에서 그는 먼저 유대인 지도자들을 청하여 그
들에게 복음을 전했습니다.

> "유대인들이 반대하기로 내가 마지못하여 가이사에게 상소함이
> 요 내 민족을 고발하려는 것이 아니니라 이러므로 너희를 보고 함
> 께 이야기하려고 청하였으니 이스라엘의 소망으로 말미암아 내가
> 이 쇠사슬에 매인 바 되었노라"(행 28:19-20).

바울의 로마 전도는 유대인에게만 국한되지 않았습니다. 그의 로

마 도착 소문이 알려지자 로마의 여러 고관이 바울을 면회하러 왔습니다. 바울은 가만히 앉아서 자신을 찾아오는 로마인들에게 복음을 전할 기회를 얻게 된 것입니다. 이것도 그가 죄수로 로마에 오지 않았다면 결코 일어날 수 없는 일이었습니다. 다시 하나님의 신묘한 섭리를 실감하게 됩니다. 후에 바울이 로마 감옥에서 빌립보교회를 향해 쓴 고백을 들어 보십시오.

"형제들아 내가 당한 일이 도리어 복음 전파에 진전이 된 줄을 너희가 알기를 원하노라 이러므로 나의 매임이 그리스도 안에서 모든 시위대[바울을 감시하고 지키는 책임을 가진 가이사의 친위 부대] 안과 그 밖의 모든 사람에게 나타났으니"(빌 1:12-13).

이 말은, 바울이 로마 감옥에 있으면서 여러 시위대 사람에게 그리스도를 증거하게 되었음을 의미합니다. 그중에는 로마의 고위 관료도 있었습니다.

"모든 성도들이 너희에게 문안하되 특히 가이사의 집 사람들 중 몇이니라"(빌 4:22).

이미 가이사의 황실 사람 중에도 바울이 전한 예수를 믿고 빌립보교회에 문안 인사를 전하는 이들이 있었습니다. 그래서 바울은 빌립보 성도들에게 자신의 고난 중에도 "주 안에서 항상 기뻐하라 내가 다시 말하노니 기뻐하라"(빌 4:4)라고 편지할 수 있었던 것입니다.

감옥이 빼앗지 못한 바울의 기쁨, 손과 발을 묶은 쇠사슬도 결박하지 못한 그의 놀라운 기쁨이 갈망되지 않습니까? 그렇다면 기도하십시오. 그리고 오늘의 고난을 통해 하나님의 뜻을 이루게 해 달라고 기도하십시오. 고난 속에서도 굳게 믿으십시오. 이 고난 중에도 하나님의 뜻이 있음을 신뢰하십시오.

바울이 빌립보 감옥에서 한 것처럼, 한밤중에 일어나 찬양해 보십시오. 감옥이 진동할 것입니다. 복음의 승리가 선포되고, 환경을 초월한 하늘의 기쁨이 임할 것입니다. 그리고 이 기쁨의 비밀을 묻는 사람들에게 '예수가 인생의 구주요, 주님이시기 때문'이라고 증거하게 될 것입니다. 그러면 우리 모두 마침내 주께서 예비하신 꿈의 도시, 영원한 로마에 입성하게 될 것입니다.

김대중 대통령 생전에 한 기자가 이런 질문을 했다고 합니다.

"부인 이희호 여사에게 서운하게 느끼신 적이 있습니까?"

김 대통령은 주저 없이 이렇게 대답했다고 합니다.

"예, 제가 사형 언도를 받았을 때 집사람이 제가 살게 해 달라고 기도하지는 않고, 하나님의 뜻대로 되게 해 달라고 기도할 때였습니다."

이 이야기를 이희호 여사에게 전하자, 이 여사는 웃으며 이렇게 대답했다고 합니다.

"제가 하나님의 뜻을 구하면 하나님 또한 저의 깊은 마음을 헤아려 주실 것을 믿었습니다."

이 얼마나 귀한 고백입니까? 우리도 한평생 주의 뜻을 구하며, 고난을 기도로 이겨 내는 성도가 되어야 할 것입니다. 그러면 마침내 우리의 기도가 고통의 쇠사슬을 풀고 새 아침을 열 것입니다. 우리의 기도가 우리로 하여금 하늘의 보좌에 승리자로 도달하게 할 것입니다.

"바울이 온 이태를 자기 셋집에 머물면서 자기에게 오는 사람을 다 영
접하고 하나님의 나라를 전파하며 주 예수 그리스도에 관한 모든 것을
담대하게 거침없이 가르치더라"(행 28:30-31).

25

너의 믿음을
사도행전 29장에 기록하라

믿음의 행전을
써 내려가라

관점의 전환

인생을 살다 보면 누구나 기대하지 않았던 실망스러운 일들을 경험하게 됩니다. 이때 중요한 것은 그 상황을 어떤 관점으로 보느냐입니다. 관점만 바꿀 수 있다면 실망도 희망으로, 불쾌한 일도 독특하고 흥미로운 경험으로 바뀌기 때문입니다.

암 투병 끝에 세상을 떠난 서강대 영문과 장영희 교수의 《살아온 기적 살아갈 기적》(샘터사)이라는 유고 에세이가 있습니다. 이 책에서 장영희 교수는 자신의 여동생과 조카들과 함께 미국 보스턴 미술관을 방문했던 경험을 소개합니다. 장 교수는 미술관 방문을 기넘하기 위해 한국 사람으로 보이는 중년 남성에게 사진을 찍어 달라고 부탁했고, 마침 그는 자신이 가진 카메라와 같은 모델이라면서 흔쾌히 승낙했습니다.

"김치, 예, 완벽합니다. 한 번만 더, 예, 한 번만 더 찍겠습니다."

장 교수 일행은 아주 능숙하게 세 차례에 걸쳐 사진을 찍어 준 그에게 감사의 인사를 전하며 헤어졌습니다. 그런데 며칠 후, 필름을 현상해 본 장 교수는 깜짝 놀랐습니다. 첫 번째 사진은 가족 모두의 머리가 잘려져 있었고, 두 번째 사진은 동생의 발만 크게 찍혔으며, 세 번째 사진은 가슴만 확대해 놓은 괴상한 사진이었습니다. 장 교수는 사진을 찍어 준 사람에 대한 회의와 불쾌감으로 열이 뻗쳤다고 합니다. 그런데 옆에서 사진을 함께 들여다보던 초등학교 1학년 조카 건우가 이렇게 말하더랍니다.

"와, 이모! 이 사진들 짱 멋있다. 그때 그 미술관에서 본 추상화 같다. 우리가 미술관 앞에서 찍으니까 이렇게 찍어 주신 모양이지? 완전 예술품이다. 예술품!"

조카의 말에 장 교수는 조금 전까지 자신을 불쾌하게 한 사진들이 전위 예술품으로, 아니 샤갈의 그림처럼 보이기 시작했다고 합니다. 이것이 바로 '관점의 전환'입니다. 다른 관점을 가지면 고난의 상황조차도 놀라운 하나님의 섭리를 실현하기 위한 기회로 바라볼 수 있습니다.

사도 바울이 전도 여행을 하다가 감옥에 갇히고 재판받게 된 것은 결코 유쾌한 경험이 아니었습니다. 그러나 그가 하나님의 선교

274

적 관점에서 자신의 고난을 본 순간, 그것은 오히려 놀라운 기회가 되었습니다. 바울에게 닥친 모든 고난은 아직 미완의 선교 과제를 실현하기 위한 하나님의 특별한 섭리였던 것입니다.

이제 우리는 바울의 로마 입성 선교 경험을 통해 주님께서 준비하신 두 가지 특별한 섭리적 계획을 살펴보고자 합니다.

복음의 문을 열어 주시는 하나님

성경은 이 땅에서 삶을 영위하는 모든 그리스도인, 하나님의 자녀들에게 반드시 복음 전도의 기회를 열어 주신다고 가르칩니다. 그리고 우리는 모두 열린 전도의 기회 앞에서 순종으로 응답할 것인지, 아니면 열린 문을 무시하고 살아갈 것인지 선택의 기로에 서게 됩니다. 여기서 순종하는 사람들이 바로 하나님께 쓰임 받는 사람이 됩니다.

그러나 하나님께 쓰임 받으려면 무엇보다 열린 문에 대한 민감한 인식이 필요합니다. '아, 하나님이 나에게 문을 열어 주고 계시는구나' 하고 깨달을 수 있는 감각이 있어야 한다는 뜻입니다. 신앙의 선배들은 이것을 '성령 사역에 대한 민감성'이라고 불렀습니다. 저는 우리 모두가 이런 민감성을 가지고 일생을 살아가기를 바랍니다.

바울은 성령 사역에 매우 민감했습니다. 그는 비록 로마 감옥에 매여 있었지만, 미결수로서 완전한 감옥이 아닌 연금 상태에 처하자 그것이 바로 하나님이 주신 기회인 것을 알아차렸습니다.

"바울이 온 이태를 자기 셋집에 머물면서 자기에게 오는 사람을 다 영접하고"(행 28:30).

바울이 머물던 곳을 '셋집'이라고 표현하고 있습니다. 즉, 일종의 가택 연금 상태였던 것입니다.

"그들이 날짜를 정하고 그가 유숙하는 집에 많이 오니 바울이 아침부터 저녁까지 강론하여 하나님의 나라를 증언하고 모세의 율법과 선지자의 말을 가지고 예수에 대하여 권하더라"(행 28:23).

중요한 것은, 바울이 기회를 놓치지 않았다는 사실입니다. 그는 자신에게 주어진 열린 기회를 복음 전도의 기회로 최선을 다해 사용했습니다. 물론 어떤 사람은 믿었고, 어떤 사람은 믿지 않았습니다.

"그 말을 믿는 사람도 있고 믿지 아니하는 사람도 있어"(행 28:24).

이제 바울을 통해 로마가 본격적으로 복음을 듣기 시작했고, 믿는 사람들이 일어났으며, 로마에 하나님 나라의 지평이 넓어져 갔습니다. 이는 바울이 순종하고 전도했기 때문입니다. 주어진 전도의 기회, 선교의 기회를 놓치지 않았기 때문입니다.

그는 가장 적절한 시기에 로마에 와서 열린 선교의 기회를 제대로 활용했습니다. 그러나 그전에 바울이 무리하게 로마행을 선택하지 않았다는 점도 유념해야 합니다. 문이 닫혀 있을 때는 조심스럽게 문을 두드리며 기다리는 전략이 필요합니다. 그러나 일단 기회가 주어지면, 그 기회 앞에 최선을 다해야 합니다.

오늘 당신의 삶의 자리, 가정, 마을, 직장이나 일터에 하나님이 열린 문을 주셨는지를 살펴보십시오. 요한계시록을 보면 주님이 소아시아 빌라델비아교회를 칭찬하며 "볼지어다 내가 네 앞에 열린 문을 두었으되 … 네가 작은 능력을 가지고서도 내 말을 지키며"(계 3:8)라고 말씀하십니다.

우리가 얼마나 큰 능력을 가지고 있느냐는 중요하지 않습니다. 그 능력을 가지고 전도와 선교의 명령에 얼마나 순종했느냐가 중요합니다. 빌라델비아 성도들은 작은 능력밖에 주어지지 않았지만, 그 작은 능력으로 열린 기회의 문에 순종으로 응답했습니다. 하나님은 오늘도 순종하는 자들을 통해 당신의 나라의 지평을 넓히고 계십니다.

시간의 선물을 허락하시는 하나님

하나님이 바울로 하여금 당신의 섭리를 이루도록 주신 또 하나의 선물은 바로 시간이었습니다. 바울이 로마에서 셋집에 머문 기간은 2년 정도입니다. 대부분의 성경학자는 A.D. 62년경, 바울이 로마법을 위반한 특별한 혐의가 인정되지 않아 이 가택 연금(A.D. 60-62년)에서 석방된 것으로 간주합니다. 이후 바울은 약 4년 동안 그레데, 에베소, 밀레도, 마게도냐, 고린도 지방을 여행하며 교회들을 굳건히 하다가 다시 체포되어(A.D. 66년) A.D. 67년 6월에 순교한 것으로 전해집니다. 그러나 바울에게 있어 선교의 열매가 가장 컸던 시기는 에베소에서의 3년과 로마 가택 연금 2년이었다고 평가됩니다. 그러고 보면 로마의 가택 연금 기간은 아주 특별한 섭리의 시간이었습니다.

> "하나님의 나라를 전파하며 주 예수 그리스도에 관한 모든 것을 담대하게 거침없이 가르치더라"(행 28:31).

비록 바울의 몸은 쇠사슬에 매여 감시당하고 있었지만, 복음은 거침없이 전파되고 있었습니다. 로마의 복음화, 아니 세계 복음화의 과업을 위해 하나님은 바울에게 로마에서의 아주 특별한 2년을 준비하신 것입니다.

그렇다면 인생이란 무엇일까요? 저는 인생을 '하나님의 뜻을 이루기 위한 삶의 길'이라고 정의하고 싶습니다. 결국 인생의 마지막 평가는 얼마나 오래 살았는가, 사는 동안 어떤 특권을 누렸는가가 아니라, 하나님의 뜻을 이루는 일에 얼마나 보람찬 시간을 보냈느냐가 가장 중요한 평가의 기준이 될 것입니다.

장영희 교수는 앞에서 이야기한 사진 사건보다 더 황당했던 자신의 인생 경험으로 뉴욕주립대학교의 박사 논문 사건을 소개합니다. 2년간의 눈물겨운 노력 끝에 논문을 완성했지만, 친구 집에 잠깐 커피를 마시러 다녀온 사이 논문이 들어 있던 트렁크를 도둑맞는 사고를 당합니다. "내 논문! 내 논문!"을 외치며 기절한 그녀는 닷새 동안 어둠 속에서 지내다가, 다시 일어나 논문을 쓰기로 결심합니다. 그렇게 1년의 시간을 연장하여 논문을 완성한 그녀는 논문의 헌사에 이런 말을 남깁니다.

내게 생명을 주신 사랑하는 나의 부모님께 이 논문을 바칩니다. 그리고 내 논문 원고를 훔쳐 가서 내게 삶에서 가장 중요한 교훈인 다시 시작하는 법을 가르쳐 준 도둑에게 감사합니다.

그리고 다시 시작하는 법을 배우기 위해 1년은 충분히 투자할 가치가 있었다는 말로 끝을 맺습니다.

장영희 교수는 유작에서 자기 인생에 가장 큰 용기를 준 말이 "괜찮아"였다고 회상합니다. 어린 시절, 몸이 불편해 친구들의 놀이에 끼지 못해 서운해할 때 지나가던 깨엿 장수가 미소 지으며 "괜찮아"

라고 말해 주었다고 합니다. 2002년 월드컵 당시 4강에서 졌을 때도 대한민국 관중들은 "괜찮아"라고 외쳤고, 〈도전 골든벨〉에서 혼자 끝까지 남아 골든벨에 도전하다가 마지막 문제를 풀지 못한 친구에게도 "괜찮아, 괜찮아"라고 말합니다.

저는 사도행전 강해를 마치며 이 말을 함께 나누고 싶습니다. '하나님의 뜻을 이루기 위해 바친 인생이야말로 투자할 가치가 있는 진정한 인생'이라고 말입니다. 저는 이 장의 제목을 '너의 믿음을 사도행전 29장에 기록하라'라고 붙였습니다. 사도행전은 28장으로 끝나지만, 학자들은 사도행전의 마지막 구절을 '오픈 엔딩'(open ending)이라고 부릅니다. 사도행전은 끝나지 않았다는 의미입니다.

우리도 그동안 실패투성이의 인생을 살았어도, 불순종의 인생을 살았어도, 부끄러움의 인생을 살았어도 남은 인생을 '사도행전 29장'의 과업을 위해 다시 일어설 수만 있다면, 하나님은 오늘도 우리를 응원하실 것입니다.

"괜찮아, 괜찮아."

사도행전은 28장에서 끝나지만, 우리는 우리의 가정과 일터에서 사도행전 29장을 기록할 책임이 있습니다. 우리의 사도행전 29장을 위해, 우리의 주인 되신 주님의 뜻이 이루어지도록 우리 삶을 후회 없이 헌신하고 순종해야 합니다.